Dr. Peter Beyersdorf Dein Hund auf Ausstellungen

Dr. Peter Beyersdorf

Dein Hund auf Ausstellungen

Verlagsgesellschaft Rudolf Müller
Köln-Braunsfeld

CIP-Kurztitelaufnahme der Deutschen Bibliothek

Beyersdorf, Dr. Peter
Dein Hund auf Ausstellungen
Köln-Braunsfeld: R. Müller 1981
(dein Hund)

ISBN 3-481-26701-0

ISBN 3-481-26701-0

Verlagsredaktion: Ingeborg Roggenbuck
Umschlaggestaltung: Hans-Dieter Kluth, Erftstadt
Satz: Offset Satz Studio Loeffel, Köln
Druck: Druckhaus Rudolf Müller, Köln
Printed in Germany

Vorwort

Warum ein Buch über Hundeausstellungen? Die Frage mag auf den ersten Blick berechtigt erscheinen – aber nur auf den ersten Blick! Es ist nämlich längst nicht mehr so, daß Hundeausstellungen Veranstaltungen wären, die einem kleinen, exklusiven Kreis – also den Züchtern – vorbehalten wären und die ansonsten unter Ausschluß der Öffentlichkeit stattfänden.
Hundeausstellungen sind inzwischen, und darüber wird zu schreiben sein, einem breiten Publikum zugänglich, einem interessiert zuschauenden Publikum ebenso, wie einem engagiert ausstellenden. Hundeausstellungen (Zuchtschauen wäre der von der Sache her treffendere Begriff), »Dog Shows, Expositiones« – das Thema ist seit langem international, wobei der Richtigkeit wegen gleich angefügt sei, daß Hundeausstellungen anderwärts eine mindestens ebenso lange und stolze Tradition haben wie hierzulande. Man muß nicht gleich »Cruft's Dog Show« in England zitieren, um zu ermessen, wie weit dieses alles zurückreicht: bis in die Mitte des vergangenen Jahrhunderts nämlich.
Damit soll zunächst nichts anderes gesagt sein, als daß Hundeausstellungen keineswegs eine neumodische Erfindung sind, eine Beschäftigung also, mit der die Zeitgenossen ihre immer mehr zunehmende Freizeit ausfüllen.
Dieses Buch wurde für alle geschrieben, die an der herrlichen Sache Hundeausstellung Freude haben: Zuschauer, Aussteller, die es einfach einmal mit ihrem Vierbeiner »probieren« wollen, Züchter und auch alle kynologisch ernsthaft Interessierten, die im Ausstellungswesen eine besonders wichtige Säule in der systematischen Beschäftigung mit der Hundezucht sehen.
Das Buch ist so angelegt, daß es für »Anfänger« und »Profis« gleichermaßen von Nutzen sein kann.
In einem historischen Teil sollen die Ursprünge des Ausstellungswesens geschildert werden, in einem auf die Gegenwart bezogenen Kapitel wird die heutige Situation beschrieben: wer stellt aus, warum wird ausgestellt, wo wird sinnvollerweise ausgestellt und, vor allem, wie macht man das? Die Rolle des »Verbandes für das Deutsche Hundewesen« (VDH) und der Rassehunde-Zuchtvereine im Gegensatz zur Dissidens muß erläutert werden. Die weiteren Teile des Buches sollen Ratgeber und Dokumentation zugleich sein. Dazu gehören die zahlreichen Vorbereitungen für eine Ausstellung, und zwar zunächst einmal bei den sämtlichen Formalitäten, die auch hier zu erfüllen sind. Es gehören dazu die speziellen Vorbe-

reitungen für und mit dem eigenen Hund, wie auch die notwendigen Kenntnisse über das Verhalten des Ausstellers am Ausstellungstag.
Ein wichtiger und wesentlicher Teil dieses Buches beschreibt das Amt und die schwierigen Aufgaben des Zuchtschau-Richters; im engen Zusammenhang damit steht das Thema der auf Ausstellungen vergebenen Formwerte. Ihre Einordnung, ihre Beschreibung und ihre Qualität geben bekanntlich immer wieder Anlaß zu heftigen Diskussionen.
Ein Blick über die Grenzen auf die internationale Zusammenarbeit gehört in den Rahmen dieses Buches ebenso, wie eine Dokumentation über die wichtigsten Bestimmungen des Zuchtschau- und Ausstellungswesens.
Es ist die Hoffnung des Verfassers, daß dieses Buch für viele Interessierte Neues und Lesenswertes biete; daß ein möglichst breites Leserpublikum Anregungen finde und somit die Idee des Buches erfüllt sei, nämlich Ratgeber und Nachschlagwerk zugleich zu sein.
Bruno Richter habe ich für nützliche Hinweise und für die Durchsicht des Manuskripts zu danken.

Köln, im Mai 1981

Peter Beyersdorf

Inhalt

Zur Geschichte der Hundeausstellungen

Es mag für manchen, der sich mit diesem Thema bisher weniger beschäftigt hat, überraschend sein, daß Hundeausstellungen inzwischen eine recht lange und stolze Tradition haben. Die Ursprünge liegen, wie könnte es anders sein, in England. Die Einzelheiten der Chronik über die Anfänge des Ausstellungswesens sind bei den diversen Autoren nicht ganz einheitlich. Aus den Angaben scheint jedoch inzwischen zweifelsfrei hervorzugehen, daß die erste Hundeausstellung auf englischem Boden auf das Jahr 1859 zu datieren ist. In Newcastle-on-Tyne wurde in Verbindung mit einer Geflügelschau eine Hundeausstellung organisiert, auf der 27 Setter und 23 Pointer gezeigt wurden. Als Veranstalter fungierte ein einheimischer Büchsenmacher, und logischerweise wurden in eigener Werkstatt gefertigte Büchsen als Preise vergeben.
Noch vor Newcastle-on-Tyne wird von einer Veranstaltung in London berichtet, bei der 1855 in einer Gaststube eine Reihe kleinerer Hunde zusammengekommen waren; eine Abbildung wurde bei Dr. Robert Bandel (Der Hundeaussteller und sein Richter, 1975) veröffentlicht. Dieses historische Bild zeigt ein Kollegium korrekt gekleideter, pfeifenrauchender Herren, die in einem stimmungsvollen Raum die Hunde vor sich haben. Auch Preise und Pokale in der Art, wie sie noch heute üblich sind, wurden bei dieser Gelegenheit offensichtlich vergeben. An anderer Stelle wird von einer »Großen Ausstellung der Möpse aller Nationen« berichtet, die im Jahr 1850 ebenfalls in England stattgefunden hat. (Daub/Gentner, »Unser Hund wird ausgestellt«, 1979.)
Als gesichert und gewissermaßen als offizieller Anfang des Ausstellungswesen gilt indessen die erwähnte Ausstellung in Newcastle. Ein Jahr später, im Jahr 1860, folgte dann in Birmingham eine weitere Ausstellung und 1863 in Klingsor hatten sich Ausstellungen schon soweit herumgesprochen, daß mehr als 1600 Hunde in 66 Klassen vorgestellt wurden, die von 19 Richtern bewertet wurden.

Cruft's Dog Show

In den folgenden Jahren grassierte das Ausstellungsfieber in England immer mehr. Ein Markstein wurde dann im Jahre 1891 gesetzt. Charles Cruft, ein Verkäufer im Unternehmen des Hundenahrungs-Herstellers James Spratt, darüber hinaus aber auch ein engagierter Kynologe, organisierte in der Royal Agriculture Hall in Islington eine Hundeausstellung, die Geschichte machen sollte. Bis zum heutigen Tag ist die nach Charles Cruft benannte »Cruft's Dog Show« ein einzigartiges kynologisches Ereignis. Nirgendwo sonst sieht man an zwei Tagen in solch großer Zahl so hervorragende Hunde aller Rassen, wie auf der inzwischen in London alljährlich stattfindenden »Cruft's«. 1977 waren knapp 10000 Hunde gemeldet – eine Zahl, die es sonst bei keiner Ausstellung der Welt gibt.

Die »Cruft's« findet alljährlich im Februar statt. Sie hat in den Jahrzehnten ihres Bestehens nichts von ihrer Attraktivität verloren, im Gegenteil. Auch mehrfache Umzüge in andere Hallen – die früheren waren bald zu klein geworden – haben bei Ausstellern und Besuchern die Begeisterung nicht mindern können. Ein Besuch der »Cruft's« wird für jeden Hundefreund ein bleibender Eindruck sein, nicht zuletzt deswegen, weil er sich dort auch eindrucksvolle Einblicke in die Disziplin der Aussteller und in ihr sportliches Verhalten in Sieg oder Niederlage des vorgestellten Hundes verschaffen kann.

Bis aber »Cruft's Dog Show« aus der Taufe gehoben wurde, hatte sich im englischen Hundewesen einiges Prinzipielle getan. 1870 hatte nämlich ein Mr. Shirley ein Komitee zur Veranstaltung von Hundeausstellungen gegründet und drei Jahre später wurde der »Kennel Club« geschaffen. Der »Kennel Club« wurde alsbald zur anerkannten Dachorganisation aller englischen Hundezüchter. Alle Beteiligten, nicht zuletzt die Züchter, hatten nämlich erkannt, daß zwar die Zahl der Ausstellungen und der gezeigten Hunde zunahm, nicht aber das Interesse der Öffentlichkeit. Der wichtigste Grund dafür dürfte gewesen sein, daß die bis dahin veranstalteten Ausstellungen in der Regel schlecht organisiert waren und im Ablauf wenig boten, was den Zuschauer besonders hätte faszinieren können.

Da aber immer mehr Hundezüchter ausstellen wollten, die Veranstalter der Ausstellungen ihrerseits nicht aus eigener Tasche draufzahlen wollten, kam alsbald die Idee, diese neue Veranstaltungsart systematisch in den Griff zu bekommen; mit der Gründung des »Kennel Club« (wörtlich: Zwinger Klub) begann die gewünschte Systematisierung. Damit war diejenige Stelle ins Leben gerufen worden, die die Oberaufsicht über die Organisation und Durchführung aller Hundeausstellungen hatte. Mit dem Jahr 1873 begann denn auch in England die Blütezeit der Hundeausstellungen; sie ist im Grunde bis heute nicht beendet worden. Nicht zuletzt der überwältigende Zuspruch des zahlenden Publikums beweist dies. An den beiden Tagen der »Cruft's« kommen inzwischen an die 100000 Besucher in die Hallen; von den frühen Morgenstunden an stehen sie in langen Schlangen vor den Kassen und warten geduldig, bis die Tore geöffnet werden.

Entwicklung auf dem Kontinent

Bevor die Entwicklung des Ausstellungswesens in Deutschland aufgezeigt wird, soll noch kurz vom europäischen Kontinent die Rede sein.
In der Schweiz wird die erste Hundeausstellung auf das Jahr 1881 in Fluntern bei Zürich datiert; eine zweite folgte 1882 auf der Festung Aarburg und die dritte in Zürich in der Großen Reitbahn im Jahr 1883.
In Österreich begann das Ausstellungswesen bereits 1863 in Hitzing vor den Toren Wiens. Damals wurden bereits 357 Hunde gezeigt – eine für kontinental-europäische Verhältnisse eindrucksvolle Zahl.
Besondere Bedeutung hat auch die französische Championatsausstellung, die inzwischen auf eine mehr als 100-jährige Tradition zurückblicken kann. Bis vor wenigen Jahren war dieses kynologische Großereignis in Frankreich alljährlich mit der im März in Paris stattfindenden großen Landwirtschaftsausstellung, der »Agriculture«, verbunden. Sie dauerte meist sechs Tage, wobei an jedem Tag eine bestimmte Gruppe von Hunden gerichtet wurde. Inzwischen wurde die französische Championatsausstellung auf die Mitte des Jahres verlegt; von ihrem Reiz und ihrer Anziehungskraft auf Aussteller und Publikum hat sie jedoch nichts verloren.

Die deutsche Entwicklung

Das Hundewesen in Deutschland hatte seinen Ausgang in Hamburg und in Hannover. 1863 wurde in Hamburg erstmals auf deutschem Boden eine siebentägige Hundeausstellung veranstaltet, an der 243 Hunde teilnahmen. Weitere Ausstellungen folgten 1869 in Altona und 1876 wiederum in Hamburg.
In demselben Jahr entstand in Berlin der erste allgemeine kynologische Verein »Hektor«, und 1878 wurde in Hannover der »Verein zur Veredelung der Rassehunde« gegründet.
In den letzten Jahren des 19. Jahrhunderts entstanden eine ganze Reihe von Rassehundezuchtvereinen, die sich schließlich im »Kartell der stammbuchführenden Spezialklubs für Jagd- und Nutzhunde« zusammentaten.
Die Verantwortlichen dieses Kartells sahen ihre vordringliche Aufgabe darin, das etwas »vagabundierende« Ausstellungswesen zu durchleuchten sowie Richtlinien für die Hundeausstellungen zu schaffen.
Schon damals hatte sich die Erkenntnis durchgesetzt, daß Ausstellungen vornehmlich der Zucht zu dienen und zu nutzen hätten; eine Reihe obskurer, nach rein materiellen Gesichtspunkten operierender Geschäftemacher wollte indessen die immer häufigeren Ausstellungen in ihrem Sinne ausnutzen. Aus diesem Grunde waren die Ausstellungsregeln des Kartells überaus streng: bei der Planung

einer Ausstellung genügte die ablehnende Stimme nur eines der angeschlossenen Klubs, um die gesamte Ausstellung hinfällig werden zu lassen.
Interessanterweise wurden schon damals nur die Stammbücher der angeschlossenen Vereine bei Ausstellungen anerkannt. Alle Stammbücher von Sezessionsvereinen – heute spricht man von Dissidens! – wurden abgelehnt, die entsprechenden Hunde wurden nicht zu den Ausstellungen zugelassen.
Die deutsche Dachorganisation suchte auch sehr bald den Kontakt zum Ausland. Inzwischen hatte sich diese Dachorganisation umbenannt, sie hieß nun »Kartell der stammbuchführenden Spezialklubs«. 1911 nahm man an der Gründungsveranstaltung der »Fédération Cynologique International« (FCI) teil, die seither als die weltweite Dachorganisation im Hundewesen ihre Aufgaben wahrnimmt.
Nach den Wirren des Ersten Weltkrieges dauerte es einige Zeit, bis sich das Hundewesen in Deutschland wieder organisiert hatte. 1922 wurde beschlossen, daß nur eingetragene Hunde zur Ausstellung zugelassen werden sollten. 1925 nannte sich die Dachorganisation »Deutsches Kartell für Hundewesen«.
1926 gab es auf der Kartell-Ausstellung in Düsseldorf 1100 Hunde zu sehen; rund 40000 Besucher kamen zu dieser Großveranstaltung des Kartells. Solche Jahres-Kartell-Ausstellungen gab es seit 1923; die erste hatte in Frankfurt am Main mit 1200 Hunden stattgefunden.
In Berlin waren 1926 sogar mehr als 1500 Hunde präsent. Interessant ist in diesem Zusammenhang die Entwicklung des Ausstellungswesens in Deutschland seit der Zeit, da es eine Dachorganisation im Hundewesen gab:
1906 gab es vier anerkannte Ausstellungen, 1911 waren es 57 Ausstellungen, 1913 betrug die Zahl der Ausstellungen 111 mit mehr als 21000 Hunden; 1915, im zweiten Kriegsjahr, gab es keine Ausstellung. 1917 waren es dagegen wieder zwei Ausstellungen, eine Katalog- und zwei Pfostenschauen und 1920 wurden wieder 20 Ausstellungen sowie 15 Katalog- und 42 Pfostenschauen registriert.
Aus diesen Zahlen ist unschwer zu erkennen, daß ohne den verheerenden Einschnitt des Weltkrieges das Ausstellungswesen in Deutschland mit aller Gewißheit einen ähnlich rasanten Aufschwung genommen hätte wie in England, dem Mutterland der Hundeausstellungen.
Fr. Bazille, der das Schauwesen in Deutschland in eine organisatorische Form gebracht hat, schrieb später in einem Rückblick: »Wir sehen, wie vortrefflich sich das Ausstellungswesen des Kartells von seinen kleinen Anfängen an entwickelt hat und wie es im Laufe der Zeit – fast von Jahr zu Jahr – immer mehr ausgebaut wurde und dadurch an Ansehen gewonnen hat. Das Werk ist indessen noch nicht vollendet, da und dort muß noch ausgebessert werden, was aber erst möglich sein wird, wenn unser Vaterland im wirtschaftlichen Emporblühen begriffen ist.« (Heinrich Reitzel, »50 Jahre Deutsches Hundewesen«.)

Bazille sollte, was das Ausstellungswesen im Deutschland der zwanziger Jahre betraf, recht behalten. Die zunehmenden wirtschaftlichen Schwierigkeiten des Landes wirkten sich direkt auf den Ausstellungssektor aus.
1927 gab es nur noch – insgesamt – 168 Zuchtveranstaltungen mit rund 21200 Hunden, 1928 waren es 153 Veranstaltungen mit knapp 18000 Hunden, 1929 waren es 142 Veranstaltungen mit gut 16000 Hunden, 1930 ging die Zahl auf 132 Veranstaltungen mit knapp 15000 Hunden zurück und 1931 auf 117 Veranstaltungen mit etwa 14700 Hunden.
Dabei lag der Akzent jeweils auf der jährlichen Kartell-Ausstellung, wobei die Ausstellung im Juni 1929 – die im übrigen erstmals unter Kartell-Regie stattfand, etwa vergleichbar den heutigen Bundessieger- und Europasieger-Zuchtschauen des VDH – mit 1230 Hunden in Hannover einen Höhepunkt darstellte. Interessanterweise gab es 1929 in Hannover bereits die gleichen Schwierigkeiten und Ärgernisse, wie sie auch heute immer wieder auftauchen: ausgestellte Hunde wurden für längere Zeit aus ihrer Box entfernt, und Aussteller versuchten, die Veranstaltung vorzeitig zu verlassen!
1931 war das Jahr des 25jährigen Bestehens des Kartells. Aus diesem Anlaß fanden zwei repräsentative Jubiläumsausstellungen statt, und zwar in Frankfurt am Main und in Berlin. Beide erbrachten glänzende Meldeergebnisse: Frankfurt verzeichnete 2046 Hunde und 171 Zuchtgruppen, Berlin 1638 Hunde und 144 Zuchtgruppen. Aufgrund eines Gegenseitigkeitsvertrages zwischen dem Kartell und der FCI konnten in Berlin 45 CACIB (Anwartschaften auf das Internationale Schönheits-Championat) vergeben werden. Obwohl die Jubiläumsschauen in einer Zeit politischer und wirtschaftlicher Turbulenzen stattfanden (unmittelbar vor der Berliner Ausstellung war der berüchtigte »Schwarze Freitag« an der Wall Street) kamen immerhin 12500 Besucher in die Hallen; bei der Frankfurter Ausstellung waren es sogar 15000 gewesen.
Die 11. Jahresausstellung des Kartells im Mai 1933 fiel bereits in die Zeit des »Dritten Reiches«. Die Nationalsozialisten hatten begonnen, nicht nur die politischen Strukturen Deutschlands grundlegend zu verändern, sondern auch die gesellschaftlichen im weitesten Sinne. So kann es kaum verwundern, daß auch das Hundewesen nicht unberührt blieb. In der Tat dauerte es nur Monate, bis die Umstrukturierung vollzogen war. Das Kartell wurde umbenannt in »Reichsverband für das Deutsche Hundewesen«, es gab mit einem Mal einen Reichsausstellungswart, einen Reichszuchtbuchwart, einen Reichsabrichtewart und einen Führer des gesamten Reichsverbandes. Die Landesverbände wurden zu Gauen –, die Gleichschaltung machte auch in diesem Bereich keine Ausnahme.
Freilich: in der Erinnerung der damals Verantwortlichen werden keineswegs nur negative Aspekte sichtbar. Auch wenn die Einflüsse der Partei prinzipiell als un-

angemessen betrachtet werden, so wurde doch auch nicht bestritten, daß von 1933 an »viele langerhoffte Wünsche erfüllt« worden seien (Reitzel). So wurden die Ausstellungsbestimmungen für ganz Deutschland verbindlich, es wurde eine Richterordnung eingeführt und der Reichssiegertitel für die jährlichen Ausstellungen – und es gab mehr Geld für die verschiedensten Anliegen der Hundeleute, als in den Jahren zuvor jemals erträumt werden konnte.
Es ist hier nicht der Platz, sich mit der Entwicklung des deutschen Hundewesens in der nationalsozialistischen Zeit auseinanderzusetzen. Wichtig für diesen Zusammenhang soll nur sein, wie sich das Ausstellungswesen in der Folgezeit weiterentwickelt hat.

Einen Höhepunkt bildet dabei zweifellos das Jahr 1935, als der Weltkongreß und die Welthundeausstellung in Frankfurt am Main stattfanden. 3310 Hunde kamen damals nach Frankfurt, insgesamt amtierten 77 Richter. Der Zuchtgruppenwettbewerb war aufgeteilt in einen deutschen, an dem 203 Gruppen teilnahmen, und in einen internationalen, der mit 96 Gruppen beschickt war. 60000 Besucher gaben diesem kynologischen Großereignis den entsprechenden äußeren Rahmen. Als bester Hund der Weltausstellung qualifizierte sich schließlich der aus den Niederlanden stammende Cocker Spaniel »Woodcock Memory«.
Auch in den folgenden Jahren florierte das deutsche Ausstellungswesen. Die dritte Reichssiegerausstellung 1936 in Köln brachte 1956 Hunde und 190 Zuchtgruppen auf die Läufe, 25000 Besucher waren in zwei Tagen präsent.
Das Jahr 1937 brachte wieder einmal organisatorische Veränderung im Dachverband: nun hieß das Ganze »Reichsfachgruppe Deutsches Hundewesen e. V. im Reichsverband Deutscher Kleinhundzüchter e. V.« Die 4. Reichssiegerausstellung 1937 in München hatte mit mehr als 1800 Hunden und 24000 Besuchern wiederum ein glänzendes Ergebnis zu verzeichnen.

In der Folgezeit nahmen die ideologischen Diskussionen um die Hunde zu. Es gab Differenzen über die »Ausstellungszüchter«, deren Produkte im Vergleich zu den Dienst- und Gebrauchshunden oft versagt hätten, deutsche Zuchtprodukte seien im Ausland nicht konkurrenzfähig und so weiter. Die politische Abkapselung Deutschlands spiegelte sich auch in diesem Bereich deutlich wider.
Gleichwohl gab es anläßlich der »Grünen Woche« 1939 in Berlin wieder eine mit knapp 1400 Hunden beschickte Ausstellung, bei der freilich ein SS-Standartenführer über die organisatorischen Neuerungen im Hundewesen philosophierte.
Der »Reichsverband für Hundewesen« wurde dem Verantwortungsbereich der SA unterstellt; mit Beginn des Zweiten Weltkrieges 1939 wurde der aus der Organisation der Kleintierzüchter ausgegliederte Reichsverband wiederum dem Oberkommando des Heeres unterstellt.

Diese wenigen Hinweise mögen verdeutlichen, in welche Richtung in jenen Jahren das deutsche Hundewesen zwangsläufig gehen mußte. Nach Ausbruch des Krieges wurden zunächst alle Hundeausstellungen abgesagt. Im Frühjahr 1940 wurden jedoch Ausstellungen und Schauen wieder erlaubt.
So sah die sechste Reichssiegerausstellung 1941 in Stuttgart immerhin wieder mehr als 1600 Hunde und 45 000 Besucher. Ende 1941 wurde der Austritt Deutschlands aus der FCI vollzogen, die Verbindungen zum Ausland waren endgültig abgebrochen. Dafür wurde das Hundewesen von Ende 1941 an der SS unterstellt. Der Reichsverband wurde in »Reichsbund für Hundewesen« umbenannt.
Von Mitte 1942 an waren nur noch Sonderschauen einer oder mehrerer Rassen erlaubt.
Für die Zeit bis zum Zusammenbruch im Frühjahr 1945 gibt es kaum detailliertes Material über das Ausstellungswesen. Mit der fortschreitenden Not in Deutschland schwand zwangsläufig das Interesse an Schauen und Ausstellungen.

Die Entwicklung nach 1945

Schon bald nach der »Stunde Null« im deutschen öffentlichen Leben regten sich die Hundefreunde in den Besatzungszonen wieder. Freilich waren zunächst nur regionale Zusammenschlüsse möglich. Immerhin gelang es aber, zwischen der amerikanischen und der britischen Besatzungszone feste Kontakte zu knüpfen. Auf einer Ausstellung in Stuttgart 1947 fanden konkrete Besprechungen statt, zumal bereits zuvor in zahlreichen Orten wieder Ausstellungen abgehalten worden waren. So wird von einer Ausstellung in Dortmund 1946 berichtet, aber auch von einer großen Schau in Stuttgart, wo 1947 2500 Hunde und 122 Zuchtgruppen gezeigt wurden. 1948, also noch vor der Gründung der Bundesrepublik Deutschland, registrierte man in München 2050 Hunde, in Dortmund 1200 und in Reutlingen etwa 1000 Hunde, in Berlin im Oktober 1948 1700 Hunde.
Bei dieser Gelegenheit darf nicht vergessen werden, unter welchen materiellen Schwierigkeiten das Ausstellungswesen speziell und das Hundewesen generell nach dem Zusammenbruch des Jahres 1945 wieder aufbauen mußten. Die Probleme waren oft gewaltig, und es bedurfte des ganzen Idealismus und der Opferbereitschaft derjenigen, die damals eine stolze Tradition in Deutschland fortleben lassen wollten. Die Leistungen jener Männer und Frauen, die in der Zeit allergrößter Not für Hunde und Ausstellungen tätig waren, sollten nicht in Vergessenheit geraten.
Der 11. Juni 1949 ist in diesem Zusammenhang ein historisches Datum: an diesem Tag beschlossen 18 Rassehundezuchtvereine, neun Landesverbände und zwei Gebrauchshundverbände die Gründung des »Verbandes für das Deutsche Hundewesen« (VDH).

Auch das Ausstellungswesen kam wieder in Bewegung. Stuttgart, Hamburg und Dortmund waren im Jahre 1949 die ersten Stationen auf einem Weg, der bis zum heutigen Tag in inzwischen sehr eindrucksvoller Form vom VDH, aber auch von den zahlreichen Rassehundevereinen beschritten wurde. 1951 kehrte der VDH in die FCI zurück. 1951 fand in Stuttgart die erste Bundessiegerausstellung statt. Ein erster kynologischer Höhepunkt in der Nachkriegszeit fiel in das Jahr 1956, als der Welt-Kynologen-Kongreß und die Welthundeausstellung nach Dortmund vergeben wurden. Die Vergabe dieses Ereignisses nach Deutschland war auch Ausdruck der Anerkennung, daß deutsche Aussteller in diesen Jahren von sich aus immer mehr den Kontakt mit dem Ausland gesucht hatten. Bemerkenswert ist auch, daß 1955 bereits auf 37 ausländischen Ausstellungen deutsche Richter eingeladen worden waren.
Die Statistik der Jahre der Konsolidierung des deutschen Hundewesens zeigt, daß 1949 wieder 25 Ausstellungen und Schauen stattfinden konnten, 1950 waren es 33. Seit 1952 konnte auf entsprechenden Ausstellungen auch in Deutschland wieder das CACIB vergeben werden; 1955 wurden immerhin 919 solcher Anwartschaften auf das Internationale Schönheits-Championat der FCI vergeben.
Im Juni 1973 war Dortmund wiederum Austragungsort der Welthundeausstellung. Auch diese Veranstaltung wurde, ebenso wie der damit verbundene Weltkongreß, zu einem großen Ereignis für die Hundefreunde aus aller Welt.
Die Bundesrepublik Deutschland war inzwischen voll und ganz wieder in das internationale Hundewesen integriert; die Kontakte über die Grenzen hinweg vertieften sich bei Ausstellern, Richtern und Verantwortlichen der jeweiligen Dachorganisationen immer mehr.
1981 schließlich konnte der VDH ein weiteres Mal zum kynologischen Weltkongreß und zur Weltsiegerausstellung nach Dortmund einladen. Ein international besetztes Richterkollegium, würdig einer Weltausstellung der Rassehunde, hatte vier Tage lang, vom 21. bis zum 24. Mai, mehr als 8800 der schönsten Vertreter der verschiedensten Rassen zu bewerten. Auch dies war wieder eine großartige Veranstaltung, die vom VDH mustergültig vorbereitet und an den hektischen Tagen der Ausstellung gekonnt durchgeführt wurde.
Welthundeausstellungen sind für jedes veranstaltende Land selbstverständlich weit herausgehobene und selten stattfindende Ereignisse. Daher soll bei diesem gerafften Rückblick über das Ausstellungswesen in Deutschland nicht das Normale, das Immer-Wiederkehrende, vergessen werden.

VDH-Ausstellungen

Höhepunkt der alljährlichen Ausstellungssaison ist im Spätherbst die Bundessiegerausstellung, die seit einigen Jahren immer in Essen abgehalten wird. Diese Aus-

stellung, auf der neben dem CACIB der FCI auch der begehrte Bundessiegertitel vergeben wird, hat inzwischen über die Grenzen der Bundesrepublik hinweg eine große Attraktivität erhalten. Tatsächlich versammeln sich in Essen die besten Vertreter der Rassen zum Wettstreit um die höchsten Ehren. Was besonders erfreuen muß, ist die Tatsache, daß in zunehmendem Maße auch solche Aussteller ihre Hunde auf der Bundessiegerausstellung präsentieren, die von vornherein sicher sein können, keinen der raren Titel zu erringen. Allmählich hat sich auch in der Bundesrepublik die Einstellung durchgesetzt, daß das kynologische Hauptereignis des Jahres die Teilnahme aller ausstellungswürdigen Hunde rechtfertigt – so, wie es etwa in Frankreich bei der erwähnten Championats-Ausstellung seit vielen Jahren selbstverständlicher Brauch ist.
Schließlich sei noch die seit einigen Jahren – in Dortmund – stattfindende Europasiegerausstellung erwähnt. Auch diese Ausstellung hat inzwischen ihren festen Platz im Schau-Kalender der deutschen Aussteller; die Meldezahlen geben jedenfalls denjenigen recht, die diese von der Bezeichnung her so anspruchsvolle Ausstellung ins Leben gerufen haben.
Für den nicht informierten Besucher ist wichtig zu wissen, daß allein vom VDH geschützte oder organisierte Schauen sowie solche, die dem VDH angehörende Rassehundezuchtvereine veranstalten, rassereine Hunde garantieren. In den letzten Jahren ist das Problem der Dissidens wieder akut geworden; dabei handelt es sich um Organisationen, die ebenfalls Schauen veranstalten, wobei die dort gezeigten Hunde nicht den strengen Kriterien der Rassereinheit unterliegen. Ganz im Gegenteil: oft werden auf Ausstellungen der Dissidens Hunde prämiiert, die ihrem Rassestandard weniger entsprechen und die auf Schauen der entsprechenden Rassehundevereine oder des VDH keinerlei Aussicht auf Erfolg hätten.
Der VDH hat den Kampf gegen die Dissidens und die damit verbundenen undurchsichtigen Praktiken bei Zucht und Verkauf von Hunden mit allem Engagement aufgenommen. Freilich kann nur eine intensive Aufklärungsarbeit in der Öffentlichkeit Erfolge bringen.

Ausstellungen heute

Über den Sinn von Schauen

Diskussionen über Sinn und Nutzen von Hundeausstellungen gibt es seit langem; sie werden intensiv und mit den unterschiedlichsten Argumenten geführt. Oft kann man sogar hören, daß große Ausstellungen, die in Hallen abgehalten werden, an Tierquälerei grenzten, weil die armen Hunde bei Gebell und Lärm einen ganzen Tag lang in ihre viel zu engen Boxen eingesperrt seien und mit Sicherheit alles andere lieber täten, als hier zu sein und um Ehren und Titel zu streiten.
Ein Zitat mag verdeutlichen, wie extrem die Auffassungen nicht nur von den weniger Eingeweihten, sondern sogar von Hundeleuten selbst geäußert werden: »Die Hundeausstellungen haben auch für die Gebrauchshundrassen vor Zeiten ihre Vorteile gehabt, – sie waren damals notwendig, solange die Kynologie in den Windeln lag und es sich darum handelte, das Interesse für Rassezüchtung zu wekken; heute bringen sie nicht nur keine Vorteile, sondern sie üben einen schädlichen Einfluß aus auf die Bestrebungen, vielseitigleistungsfähige Vorstehhunde zu schaffen. Die kynologische Bewegung ist inzwischen ins Extrem geraten; wir sind auf dem besten Wege, das Mittel als Zweck zu betrachten und zu vergessen, daß wir nicht Hunde züchten, um auf Ausstellungen mit ihnen zu paradieren, daselbst Preise zu gewinnen, sondern um sie vielseitig zu bearbeiten und für die deutsche Jägerpraxis zu gebrauchen im Interesse einer waidgerechten, humanen Jagdausübung. Niemand verkennt die Notwendigkeit, das erzüchtete Material auf Rassereinheit und Qualität des Gebäudes, der Behaarung und so weiter zu prüfen. Dies kann jedoch weit besser und vollkommener gelegentlich der Prüfung geschehen als auf einer Ausstellung. Die Hunde, welche nicht fähig sind an einer Gebrauchsprüfung teilzunehmen oder daselbst keine Leistung erkennen lassen, sind auch nicht wert, hinsichtlich ihres Exterieurs beurteilt zu werden: Sie haben vielmehr überhaupt keinen Wert. Man treffe also auf den Gebrauchsprüfungen Vorkehrungen, um die vorgeführten, Leistung zeigenden Hunde bezüglich ihres Exterieurs zu beurteilen. Die Hundeausstellungen aber überlasse man den Luxushunden und verwende das dadurch gesparte Geld für die Prüfungen.« Dieses Zitat ist nicht neu. Es stammt von Oberländer »Quer durch deutsche Jagdgründe« aus dem Jahr 1897. Immerhin aber wird es in der Informationsschrift des Weimaraner-Klubs e. V. (von Dr. Werner Petri 1980 verfaßt) wiedergegeben und in seinem

prinzipiellen Gehalt auch unterstützt. In der Tat wird zwischen den Gebrauchshundleuten und den von diesen gern als »Schönheitszüchter« bezeichneten, meist zahlenmäßig größeren Teil der Züchter oft so etwas wie ein Interessenkonflikt deutlich –, der im übrigen keineswegs auf die Weimaraner beschränkt ist. Allerdings geht dieser Dissens oft von einer falschen Voraussetzung aus. Alle Rassehunde, die in ein Zuchtbuch von ihrem zuchtbuchführenden Verein eingetragen werden, haben einen Rassestandard. Dieser Rassestandard wird in aller Regel vom Mutterland der Rasse formuliert und schließlich von der FCI als verbindlich für alle diese Rasse Züchtenden veröffentlicht. Das gilt selbstverständlich auch für Jagdhunde – den Weimaraner genauso wie für den Pointer, den Wachtelhund oder den Spaniel. Am Anfang allen Bemühens auch um den brauchbaren Jagdhund steht also die Vorgabe, einen dem Rassestandard entsprechenden Hund zu züchten, was immer später mit ihm geschehen soll. Bei den meisten Vereinen wird die Zuchtzulassung erst erteilt, wenn der Hund von einem anerkannten und zugelassenen Richter auf sein standardgerechtes Äußeres geprüft wurde; dies geschieht auf einer Ausstellung, die – es ergibt sich bereits aus dem Gesagten – eigentlich richtiger Zuchtschau heißen sollte.

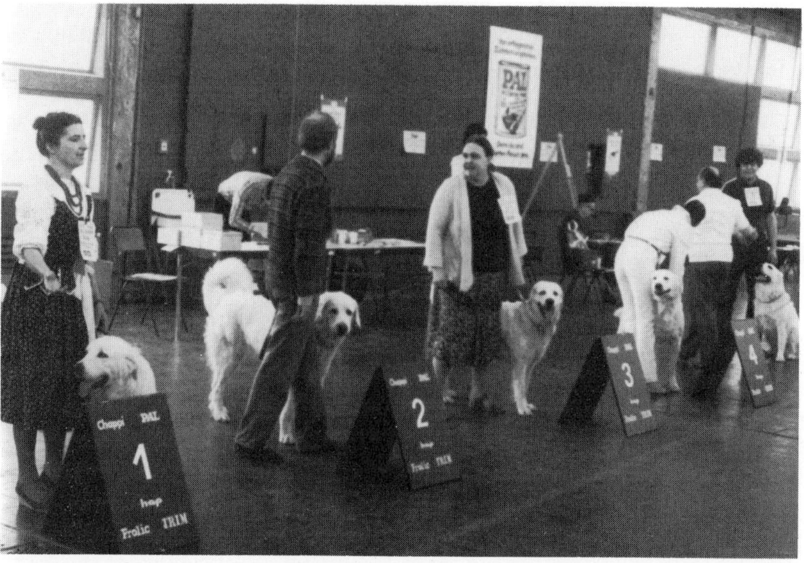

Alles ist entschieden.

Ausstellungen oder Zuchtschauen sind also in allererster Linie Veranstaltungen für Züchter, die dort ihre Zuchtprodukte dem sachkundigen Richter vorstellen; er soll nun aufgrund des seiner Rasse vorgegebenen Standards sagen, inwieweit der Hund den Zuchtzielen entspricht – und bei einem Jagdhund beispielsweise gehört dazu mehr, als nur die Bewertung des rein Äußerlichen. Hier spielen die Bewegung und die anatomische Voraussetzung für die korrekte Bewegung eine ganz entscheidende Rolle.
Bandel spricht im Zusammenhang mit Zuchtschauen zu Recht von einer zuchtfördernden Einrichtung, die das Zuchtniveau widerspiegele und den Interessenten informiere.

Informationen für die Zucht

Auf Ausstellungen, und ganz besonders auf den großen Internationalen, erhalten die Züchter sehr wertvolle Hinweise für ihre eigene Zucht. Nicht nur, daß sie durch das Richterurteil erfahren, wo sie mit ihren Hunden stehen und wie diese Hunde im Rahmen des gegenwärtigen Zuchtniveaus einzuordnen sind; durch die Beobachtung anderer vorgeführter Hunde erhalten sie auch Anregungen für neue Verbindungen. Um dies erkennen zu können, sind allerdings sehr intensive Kenntnisse über die verschiedenen Blutlinien notwendig. Jeder Züchter erfährt nämlich in seiner Laufbahn recht bald, daß es keineswegs damit getan sein kann, irgendeine, vielleicht sogar mittelmäßige Hündin mit einem hochprämiierten Champion zu paaren, um daraus dann hochwertige Nachzucht zu erhalten. So einfach ist es – zum Glück – in der Genetik nicht. Hier gibt es keine Patentrezepte, hier sind vielmehr genaues Wissen über die Zusammenhänge in den Ahnenreihen, Beobachtungen über Vererbung und damit nahezu wissenschaftliches Vorgehen notwendig.
Glücklicherweise hat heute jeder Züchter die Möglichkeit, sich über die Grundlinien der Vererbung beim Hund in leicht greifbaren und verständlich geschriebenen Büchern zu informieren. Solches Wissen ist notwendig, wenn eine Hundezucht nicht purer Zufall bleiben soll und wenn der Züchter systematisch versucht, einen eigenen Stamm zu züchten – der dann auf Ausstellungen vom Typ her unverwechselbar zu erkennen wäre.
Theoretisches Wissen und praktische Erfahrung sind also für den Züchter nötig – und die praktische Erfahrung erhält er nicht zuletzt auf Ausstellungen. Hier liegt unter anderem ihr von ernsthaften Kynologen inzwischen kaum mehr bestrittener praktischer Nutzen. In den Jahren nach dem Zweiten Weltkrieg hat sich durch die immer engere internationale Verständigung auch im Bereich der Hundezucht über die Grenzen hinweg einiges getan. Auch hier haben die Ausstellungen viel Positives bewirkt, denn sie waren der Ort, an dem sich interessierte Züchter getroffen,

abgesprochen und schließlich auch über eine Zusammenarbeit geeinigt haben. Diese Zusammenarbeit der Züchter hat ebenso wie die Tätigkeit der Richter in anderen Ländern dazu beigetragen, daß das Erscheinungsbild einer Rasse heute von Land zu Land kaum mehr differiert. Der Gordon Setter sieht in Deutschland so aus wie in Belgien, wenn er nach dem gültigen Rassestandard gezüchtet wurde. Und weil der Richter aus Deutschland, der diesen Gordon Setter in Belgien zu richten hat, von genau demselben Standard ausgeht, können die Urteile hier wie dort im Grunde kaum weit voneinander abweichen. Wenn eingangs gesagt wurde, daß Ausstellungen vom Grundgedanken her Veranstaltungen für Züchter seien, so konnte das durch die vorangegangenen Ausführungen sicher belegt werden. Vor allem in den letzten 25 Jahren ist aber ein Wandel eingetreten, der einen das Thema viel differenzierter betrachten läßt.

Neue Aspekte

Die hohen Meldezahlen bei den Internationalen Schauen, aber auch bei den Spezialzuchtschauen der einzelnen Vereine, machen deutlich, daß die Züchter auf diesen Ausstellungen nur noch einen Teil der dort vertretenen Aussteller ausmachen – manchmal sogar, wie den Katalogen zu entnehmen ist, einen geringeren Teil. Hundeausstellen ist für viele Zeitgenossen nämlich zu einer Freizeitbeschäftigung geworden. Immer mehr Hundefreunde finden Gefallen daran, mit ihrem vierbeinigen Genossen auf Reisen zu gehen –, vorausgesetzt natürlich, der Hund ist von seinem Erscheinungsbild her soweit in Ordnung, daß er in seiner Rasse konkurrieren kann.

Man sollte diese große Gruppe der Liebhaber-Aussteller nicht unterschätzen. Sie sind es nämlich inzwischen, die so mancher Ausstellung entscheidende Akzente geben können; oft befinden sich hervorragende Vertreter ihrer Rasse in der Hand von Privatpersonen, die keine züchterischen Ambitionen haben und die von dem Züchter, von dem ihr Hund stammt, zum Besuch einer Ausstellung ermutigt wurden. Und gar nicht selten kommt es dann vor, daß ein solcher Hund in der Konkurrenz ganz vorn landet –, was natürlich völlig richtig ist, denn es soll ja allein der Hund und nicht der eventuell sehr bekannte Züchter bewertet werden.

Es gibt solche Aussteller, die aus Freude an der Sache im In- und Ausland herumreisen, dabei Städte und Menschen kennenlernen, die ihnen und denen sie nie begegnet wären. Sie verbinden dann oft auch den Urlaub mit Reisen zu Ausstellungen, planen lange voraus und sind eigentlich überall immer wieder anzutreffen. Wie gesagt, solche Beharrlichkeit wird vor allem derjenige zeigen, der einen erfolgreichen Hund hat. Derjenige, der gleich auf der ersten Ausstellung bescheinigt bekommen hat, daß sein Hund dem Rassestandard nur genügend entspricht, wird sicherlich nicht allzu viel Zeit und Geld in weite Ausstellungsreisen investieren.

Gleichwohl muß im Blick auf das heutige Ausstellungswesen davon ausgegangen werden, daß sich eine zahlenmäßig starke Ausstellergruppe entwickelt hat, die aus dem Ausstellungsgeschehen überhaupt nicht mehr wegzudenken ist. Für sie ist das Ausstellen in erster Linie Hobby – und trotz der immer wieder damit verbundenen Aufregungen und Anstrengungen auch zugleich Entspannung.

Ausstellen ist auch Sport

Diese Aussteller sehen die Schauen zu einem guten Teil als Sport an: es ist der Ort, wo sich die besten der Rassen im Wettstreit um Formwerte, Plazierungen und Siegertitel messen. Der Begriff »Hundesport« hat daher fast zwangsläufig seinen Einzug in die moderne kynologische Szene gehalten. Da es bei diesen hundesportlichen Wettbewerben allerdings nicht um Sekunden oder Zentimeter geht, sondern um die Prämiierung des Rassebesten, behalten die Ausstellungen auch unter den Bedingungen einer veränderten Zeit und andersartiger Zusammensetzung der Teilnehmer ihren auf die Zucht ausgerichteten praktischen Wert: vor allem die Besten nämlich – ob sie nun im Besitz des Züchters oder ob sie in Privathand sind – sollten in der Zucht dazu beitragen können, daß sich das Niveau der Rasse verbessert oder zumindest hält. Allein aus diesem Hinweis ergibt sich die große Verantwortung des Richters für den Bestand einer Rasse; davon wird später ausführlich zu schreiben sein.

Immer mehr Interessierte

Ausstellungen haben heute sehr häufig großen Zulauf. Und dies ist das dritte Charakteristikum des gegenwärtigen Ausstellungswesens. Es sind dies Menschen aller Altersstufen, die sich für Hunde interessieren; manche speziell für eine besondere Rasse, manche für Hunde an sich. Sie finden auf Internationalen Ausstellungen immer wieder auch seltene Exemplare, die man auf den Straßen oder in den Parks nicht zu sehen bekommt und von denen es inzwischen eine ganze Reihe gibt.
Häufig kommen Interessierte über eine Hundeausstellung auch selbst zu einem Hund. Es sind dies Menschen, die sich vielleicht selbst noch gar nicht endgültig klar darüber waren, welcher Hund denn nun zu ihnen passe und welcher ihnen von Größe, Haltung oder Pflege her am meisten entspräche. Auf Ausstellungen haben sie Gelegenheit, mit Experten über die Eigenarten oder Bedürfnisse einer Rasse sachkundig Auskunft zu erhalten.
In manchen Ländern werden für die Zuschauer besondere Attraktionen gerade in diesem Zusammenhang geboten. So gibt es beispielsweise in Österreich und in der CSSR immer wieder innerhalb einer Internationalen Ausstellung Sonderveranstaltungen unter den verschiedensten Überschriften, wie zum Beispiel »Kind und

Hund«, »Frau und Hund«, oder auch Modenschauen mit Hunden. Solche Darbietungen finden oft großen Zuspruch. Sie sind darüber hinaus eine günstige Gelegenheit, für die eine oder die andere Rasse in besonderer Weise zu werben.

Werbung für den Rassehund

Ohnehin sollte das Stichwort »Werbung« – und zwar Werbung für den Rassehund – im Zusammenhang mit den Ausstellungen nicht unterschätzt werden. Der VDH hat daraus die richtige Konsequenz gezogen. Auf den von ihm durchgeführten Ausstellungen gibt es nicht nur einen Informationsstand des VDH selbst, sondern

Vor den Augen des Richters.

die meisten dort vertretenen Vereine oder Klubs haben selbst solche Informationsstände organisiert, an denen alles Wissenswerte über die jeweilige Rasse, Adressen von Kontaktpersonen, Hinweise auf Züchter, Informationsmaterial über die Hunde selbst und alles andere zu erhalten ist, was einen potentiellen Käufer eines solchen Hundes interessieren könnte.

Die Vereine und der VDH selbst geben sich deswegen so viel Mühe mit Information und Aufklärung, weil dies der einzig sinnvolle Weg zu sein scheint, dem wilden Hundehandel entgegenzutreten. Oft ist nämlich die Enttäuschung derer groß, die an der verkehrten Stelle – also nicht beim Züchter eines Rassehundevereins – einen Hund gekauft haben und nun mit einem Male nicht zu einer Prüfung oder einer Ausstellung eines Klubs gehen können.

Da die Praktiken in jenen Zweigen des Hundehandels oft genug zu schlimmen Auswüchsen geführt haben, kann es nur begrüßt werden, daß der VDH und die Rassehundevereine dieser Aufklärungsarbeit immer größere Beachtung und Aufmerksamkeit widmen.

Die Hundeausstellung ist keine Verkaufsausstellung, auch wenn vereinzelt einmal im Katalog bei einem Hund der Vermerk »verkäuflich« steht. Dies ist aber recht selten der Fall; grundsätzlich sind Ausstellungen – wenn man einmal von den beschriebenen züchterischen Anliegen absieht – eine große Werbung für den Rassehund, den Hund also mit einwandfrei nachweisbarer Herkunft, der nach menschlichem Ermessen von einem verantwortungsbewußten Züchter bei der Aufzucht mit allem Notwendigen versorgt wurde, der nach den klubinternen Vorschriften die notwendigen Schutzimpfungen erhalten hat und der – wie es bei vielen Vereinen inzwischen üblich ist – aufgrund einer Tätowierung jederzeit identifiziert werden kann.

Ausstellungen sind also zuchtfördernde Einrichtungen, Hundesport – auch im Sinne eines Hobbys und der Freizeitgestaltung von immer mehr Gelegenheitsausstellern, der Ort für zahlreiche interessierte Zuschauer sowie auch Werbeveranstaltungen der Rassehundevereine und des VDH. Wichtigster Punkt dabei ist und muß auch bleiben, daß durch die Bewertung und schließlich auch durch die Reihung der ausgestellten Hunde durch den Richter die Qualität der Zucht demonstriert und nach Möglichkeit verbessert werden soll. Diesen Kernpunkt sollte keiner übersehen, der im heutigen Ausstellungswesen gelegentlich das »Schau«-Element ein wenig überbetont empfindet. Durch die Urteile der Richter auf den Ausstellungen erhält die Zucht ihre Akzente; die Ausstellungen wirken somit wegweisend auf die Entwicklung einer Rasse.

Die verschiedenen Ausstellungsarten

In den Terminkalendern der Vereine und Klubs sowie im offiziellen Organ des »Verbandes für das Deutsche Hundewesen« mit dem Titel »Unser Rassehund« wird zwischen mehreren Ausstellungsarten unterschieden. Sie sollen im folgenden in ihrer jeweiligen Eigenart charakterisiert werden, um den Ausstellungsneuling zugleich darüber zu informieren, was bei den einzelnen Gattungen auf ihn zukommt.

Da gibt es

1. die Spezialzuchtschauen der einzelnen Rassehundeklubs. Praktisch alle Vereine veranstalten solche Spezialzuchtschauen, sie sind über das ganze Jahr verteilt, finden aber meist vom Frühjahr bis in den Herbst hinein statt. In aller Regel werden die Termine dieser Spezialzuchtschauen vom VDH geschützt, und zwar auf Antrag der jeweiligen Vereine.

Das Charakteristikum der Spezialzuchtschauen ist, daß sich – da von den Spezialklubs veranstaltet – ausschließlich die von den Klubs betreute Rasse oder Rassen (manchmal sind es auch Varietäten einer Rasse) auf dieser Ausstellung präsentieren. Eine Spezialzuchtschau des »Vereins für Deutsche Schäferhunde« zeigt allein Deutsche Schäferhunde, eine Spezialzuchtschau des »Basset Hound Club« vereint ausschließlich Bassets. Eine Spezialzuchtschau des »Club für Britische Hütehunde« hingegen präsentiert Collies (und zwar Langhaar-, Kurzhaar-, Bearded- und Border Collies), Shelties, Bobtails und Welsh-Corgis –, weil eben dieser Club die erwähnten Britischen Hütehunde in ihrer Gesamtheit betreut. Ähnliches gilt für den Jagdspaniel-Klub, der neben den überall bekannten Cocker Spaniels auch Amerikanische Cocker, Englisch Springer Spaniels, Welsh Springer Spaniels, Irish Water Spaniels, Clumber Spaniels, Field Spaniels und Sussex Spaniels betreut. – Sie sind dann auch gelegentlich alle auf einer Spezialzuchtschau des Jagdspaniel-Klubs zu bewundern.

Solche Spezialzuchtschauen vereinen sehr häufig eine große Zahl von Hunden. Es gibt Spezialzuchtschauen, bei denen in einzelnen Klassen 30 und mehr Hunde gemeldet werden. Natürlich sind Spitzenerfolge bei einer derart großen und in aller Regel auch schweren Konkurrenz von ganz besonderer Bedeutung.

Bei den Ausstellern sind diese Schauen besonders beliebt, weil sie sehr häufig im Freien stattfinden, weil die Hunde nicht, wie bei den Internationalen Ausstellungen, in Boxen untergebracht werden müssen und weil schließlich bis auf diejenigen, die in Endkonkurrenzen antreten müssen, alle die Ausstellung verlassen können, deren Hunde gerichtet worden sind. Ganz abgesehen aber von diesen Dingen finden Spezialzuchtschauen meist in einer geradezu familiären Atmosphäre statt; die meisten kennen sich, man ist unter sich und den Freunden der eigenen Rasse. Die hohen Meldezahlen bei den Spezialzuchtschauen machen es meistens für den Schauleiter notwendig, mehrere Richter einzuladen. Ansonsten würde sich das Richten eventuell bis in die Abendstunden hinziehen, falls es von einem Richter allein überhaupt zu bewältigen wäre.

Auf Spezialzuchtschauen werden von den Klubs unterschiedliche Titel und Anwartschaften vergeben. Die meisten Rassehundezuchtvereine vergeben ein CAC, das ist eine Anwartschaft auf das nationale Schönheits-Championat, sowie die VDH-SA, das ist die Anwartschaft auf den Titel des VDH-Siegers. Der Jagdspaniel-Klub wiederum, der seine Zuchtschauen unter eigenen Terminschutz stellt,

Die Nummer eins.

vergibt auf Spezialzuchtschauen »Siegeranwartschaften« auf den Titel »Deutscher Champion«.

2. gibt es die »Allgemeine Rassehundezuchtschau«, die meistens von Landesverbänden des VDH oder vom VDH selbst veranstaltet werden. Im Gegensatz zu den Spezialzuchtschauen nehmen hier alle Hunderassen teil. Im Ablauf ähneln sie sehr den Internationalen Rassehundezuchtschauen; der Unterschied zu ihnen liegt vor allem darin, daß hier nur nationale Titel-Anwartschaften vergeben werden. Es geht bei den Allgemeinen Rassehundezuchtschauen also um die Vergabe der VDH-Siegeranwartschaft sowie um klubinterne Anwartschaften. Auch diese Veranstaltungen stehen unter dem Schutz des VDH. Im Terminkalender des VDH sind sie indessen nicht allzu häufig zu finden – wohl auch deswegen, weil sie nahezu den gleichen räumlichen und finanziellen Aufwand wie »Internationale« erfordern, für den Aussteller aber wegen der Beschränkung in der Anwartschaftsvergabe längst nicht so attraktiv wie jene sind. 1981 beispielsweise hatte der VDH nur eine einzige »Allgemeine Rassehundezuchtschau« in seinem Programm.

3. gibt es die »Internationale Rassehundezuchtschau«. Sie findet, ähnlich wie die »Allgemeine Rassehundezuchtschau« obligatorisch in der Halle statt. Ihr Kennzeichen ist, daß hier das CACIB, also die Anwartschaft auf das Internationale Schönheits-Championat, vergeben wird. Die »Internationalen« werden ebenfalls von VDH-Landesverbänden oder aber vom VDH selbst organisiert. Sie müssen auch von der FCI genehmigt und geschützt werden. Die Zuchtschau-Ordnung des VDH schreibt vor, daß die »Internationalen« in überdachten Räumen, also meist in großen Hallen, stattfinden müssen, daß die ausgestellten Hunde in Boxen untergebracht werden müssen, um so den zahlenden Zuschauern den umfassenden Blick auf die Hunde zu ermöglichen. Die Durchführung dieser Ausstellungen ist in letzter Zeit immer schwieriger geworden, weil es einmal nicht allzu viele Hallen gibt, deren Kapazität die Aufnahme mehrerer Tausend Hunde, geräumiger Ringe und auch noch der Boxen ermöglicht, und weil zum anderen die Hallenmieten geradezu sprunghaft gestiegen sind und somit leicht die Gefahr besteht, daß die Veranstalter am Ende kräftig draufzahlen müssen. In der Regel sind es rund zehn Internationale Ausstellungen, die jährlich in der Bundesrepublik Deutschland stattfinden. Diese Zahl richtet sich auch nach den Vorgaben der FCI, die einen Schlüssel aufgrund der Mitgliedszahlen ihrer angeschlossenen Verbände errechnet hat.

»Internationale Rassehundezuchtschauen« sind insbesondere auch beim Publikum sehr beliebt, weil es nirgendwo sonst einen so breiten Überblick über die Vielzahl der Hunderassen erhalten kann. Gerade diese großen Ausstellungen sind in hervorragender Weise geeignet, das Interesse und die Freude am Rassehund zu wecken. Kritisch muß in diesem Zusammenhang freilich angemerkt werden, daß

gerade bei Ausstellungen, zu denen viele Zuschauer kommen, die Information über das Geschehen im Ring oft mangelhaft ist. Da bewertet ein Richter eine große Klasse von Hunden, läßt sie laufen, einzeln und in Gruppen, dann spricht er mit den Hundeführern, irgend jemandem wird die Hand geschüttelt, einer freut sich überschwenglich – nur der Zuschauer am Ring weiß damit selten etwas anzufangen. Wenn er Glück hat, erscheint dann noch auf einer Tafel eine lange Liste mit Startnummern und Formwerten. Nur: dies ist zu wenig. Was unbedingt notwendig und als Service für das Publikum eigentlich unerläßlich sein sollte, ist das Aufstellen von Tafeln, hinter denen sich die vier Erstplazierten einer Klasse aufstellen sollten. Auch eine entsprechende Tafel mit der Aufschrift CACIB oder CACIB-Reserve wäre für das Publikum bei der Ermittlung der Besten eine wertvolle Orientierungshilfe.
Auf manchen Spezialzuchtschauen, wo also der Rahmen kleiner und der Zeitdruck nicht ganz so groß sind, geben die Richter oft den Zuschauern Erläuterungen zu den Urteilen oder den Plazierungen. Dies ist sicher in der Hektik einer lauten, unruhigen Ausstellung in einer Halle nicht möglich. Aber die Hilfen für den Zuschauer, die ohne größeren Aufwand zu bewerkstelligen sind, sollten genutzt und angewandt werden, damit nicht all dies, was da im Ring geschieht, dem Nicht-Fachmann ein Buch mit sieben Siegeln bliebe.

Bei einigen besonderen Ausstellungen werden am Ende bei der Vorstellung der Sieger (Bundessieger, Europasieger) von einem versierten Hundemann die einzelnen Rassen kurz vorgestellt und in ihren Eigenarten beschrieben. In einigen Ländern, vor allem in Österreich, gehört ein »Corso« zu den festen Bestandteilen einer großen Ausstellung. Zu diesem Corso werden die höchst-prämiierten Hunde jeder Rasse eingeladen. Sie gehen dann mit ihren Führern gleichsam über einen Laufsteg, werden kurz beschrieben und so einem Laien-Publikum nähergebracht. Kein Richter, kein Schauleiter und kein Organisator sollte nämlich jemals vergessen, daß die übergroße Zahl von Ausstellungsbesuchern aus reiner Freude am Tier in die Hallen kommt – und nicht als Experte für Neufundländer, Deutsche Doggen oder welcher Rasse auch immer. Geschickte Präsentation, viel Information ohne allzu viel Fachkauderwelsch, ein attraktives Rahmenprogramm – so kann man auch große Besuchermengen interessieren und begeistern.
Solche »Öffentlichkeitsarbeit« ist besonders auch notwendig bei

4. den Bundessieger-, Europasieger- und Weltsiegerausstellungen. Diese entsprechen in ihrem Ablauf zwar weitgehend den geschilderten Internationalen Ausstellungen, aber es werden bei diesen drei besonders herausgehobenen Ausstellungen von den vertretenen Vereinen und Klubs die entsprechenden Siegertitel vergeben, die in manchen Fällen an besondere Bedingungen oder Voraussetzungen geknüpft sind.

Hier erweist es sich als ganz besonders notwendig, die zuschauende, interessierte Öffentlichkeit an dem Geschehen im Ring teilhaben zu lassen, denn hier geschieht ja keineswegs Alltägliches.
Die jährliche Bundessiegerausstellung des VDH hat sich in der Vergangenheit zu einer überaus attraktiven Veranstaltung entwickelt. Die Aussteller kommen aus vielen Ländern, und sie kommen in großer Zahl.
1979 zum Beispiel waren 4342 Rassehunde aus 173 verschiedenen Rassen zur Bundessieger-Zuchtschau gemeldet, und zwar aus 15 verschiedenen Ländern. Richter aus elf europäischen Ländern und aus Kanada waren nach Essen zur Bewertung der Hunde eingeladen worden.
Interessant war, welche Rassen damals besonders stark vertreten waren: an der Spitze lagen die vom Deutschen Windhundzucht- und Rennverband e. V. betreuten Rassen, die immerhin 401 Hunde auf die Läufe brachten. Es folgten die Teckel mit 350 Startern, die Deutschen Doggen mit 313, die vom Pinscher – und Schnauzer-Klub e. V. betreuten Rassen mit 298, die beiden dem VDH angeschlossenen Pudelvereine mit 219 Hunden die verschiedenen Terrier mit 207 Hunden und schließlich die Rassen der Britischen Hütehunde mit 201 Vertretern. Auf der anderen Seite war auch der Club für exotische Rassehunde e. V. mit 19 Hunden aus vier

Bewegung entscheidet.

Rassen in Essen vertreten. Die ganze Bandbreite der vorgestellten Hunde mag auch zeigen, wie beliebt die Deutsche Bundessiegerausstellung im In- und Ausland geworden ist. Dazu mag auch beitragen, daß sich der VDH vor einigen Jahren entschlossen hat, diese Bundessiegerausstellung alljährlich in Essen durchzuführen. Ein regelmäßiger Austragungsort dient der Orientierung der Aussteller, macht einen guten Namen und wird so in relativ kurzer Zeit zu einer festen Institution im Ausstellungskalender.
Ähnliches versuchte der VDH mit der Europasiegerausstellung in Dortmund, wobei diese Schau ein wenig darunter leidet, daß mit der Bezeichnung »Europasieger« nur zum Teil etwas anzufangen ist. Es gibt beispielsweise alljährlich im Herbst im belgischen Kortrijk eine »Euro-Dogshow«, die ebenfalls bereits eine mehrjährige Tradition hat und die auch immer gut besucht ist. Im übrigen soll künftig die Europa Siegerschau nach einem FCI-Beschluß ähnlich durch verschiedene Länder »wandern«, wie die Weltsiegerausstellung. Insofern liegt der kynologisch bedeutend größere Wert bei der Deutschen Bundessiegerausstellung.
Der Titel »Deutscher Bundessieger« ist in der Tat jährlich nur einmal und an einem einzigen Ort zu gewinnen – und hierin liegt die eigentliche Bedeutung der Bundessieger-Schau. Sie ist damit ein wenig in die Fußstapfen der bekannten ausländischen Championats-Ausstellungen wie Paris, Amsterdam oder Wien getreten, und dies ist zweifellos ein erheblicher Gewinn für das deutsche Hundewesen.
5. veranstalten einige Vereine Pfosten- oder Bezirkszuchtschauen. Der »Klub für Terrier e. V.« beispielsweise schreibt für seine Pfostenschauen, die auf örtlicher Ebene stattfinden, nicht einmal die Genehmigung des Klubs vor; einzige Bedingung ist, daß die Pfostenschauen nicht mit anderen Zuchtschauen kollidieren. Auf diesen Veranstaltungen werden für die gezeigten Hunde keine Formwerte vergeben. Die gezeigten Terrier werden – zur Information auch des Publikums – in Exterieur und Wesen beschrieben. Eine Zuchtzulassung ist damit nicht verbunden. Dagegen vergibt der Jagdspaniel-Klub auf seinen Bezirkszuchtschauen zuchtzulassende Formwerte, sofern ein Richter des Klubs amtiert. Auf den Bezirkszuchtschauen gibt es keine Klassen und auch keine Plazierungen. Die Spaniels werden nach Farbschlägen und Geschlecht getrennt bewertet.
In diesem Zusammenhang seien schließlich noch die Sonderschauen des »Vereins für Deutsche Schäferhunde« erwähnt, die nach der Schauordnung des Vereins Angelegenheit der Ortsgruppen sind und von diesen allein oder zusammen mit benachbarten Ortsgruppen durchgeführt werden können.

BELGIE — BELGIQUE — BELGIEN — BELGIUM

EURODOGSHOW

INTERNATIONALE HONDENTENTOONSTELLING
EXPOSITION CANINE INTERNATIONALE
INTERNAT. RASSENHUNDEN AUSSTELLUNG
INTERNATIONAL DOGSHOW

c.a.c./c.a.c.i.b. (f.c.I.)
kortrijk/belgië

vzw vlaanderens
rashondenfestival

brugsesteenweg 97
8720 kuurne

CLASSEMENT

Hond Nr	962	van de Katalogus
Chien No		du Catalogue
Hund No		von der Cataloge
Dog Nr		catalogue

KLASSEN — CLASSES*

Jeugd — Jeunes — Jugend — Youth ....

Open — Ouverte — Offene — Open ....

Gebruikshonden — Travail — Gebrauchshunden — Utility dogs

Kampioen — Champion ....

Koppel — Couples — Paar — Brace ....

Groep — Groupes — Gruppe — Group ....

Kwalificatie :	UITMUNTEND - ZEER GOED - GOED
Qualification :	EXCELLENT - TRES BON - BON
Qualification :	VORZUGLICH - SEHR GUT - GUT
Qualification :	EXCELLENT - VERY GOOD - GOOD

Kortrijk, 27. NOV. 1976

DE KEURDER - LE JUGE - RICHTER - JUDGE*

(*) Het onnodige doorhalen - Biffer les mentions inutiles

Die Vorbereitungen für die Ausstellung

Immer wieder stellen interessierte Anfänger die Frage, wer eigentlich seinen Hund zu einer Ausstellung melden könne, welche Formalitäten dazu notwendig seien und was man im einzelnen zu tun habe.
Nun, zunächst einmal kann grundsätzlich jeder einen Hund zu einer Zuchtschau eines dem VDH angehörenden Vereins melden, der in ein vom VDH anerkanntes Zuchtbuch eingetragen ist. In der Zuchtschau-Ordnung des VDH heißt es dazu: »Zugelassen sind nur Rassehunde, die in ein vom VDH anerkanntes Rassezuchtbuch beziehungsweise Register eingetragen sind und das vorgeschriebene Mindestalter von neun Monaten, bei Jüngstenklasse von sechs Monaten, am Tage der Zuchtschau vollenden.«
Dabei spielt es keine Rolle, ob man Mitglied eines Vereins ist oder nicht. Oder anders herum ausgedrückt: im Gegensatz zu einer weit verbreiteten Meinung ist die Mitgliedschaft in einem Verein oder Klub nicht Voraussetzung dafür, aktiv an einer Zuchtschau teilzunehmen.

Die Ahnentafel

Wichtig ist aber, daß für den Hund eine vom VDH und der FCI anerkannte Ahnentafel vorliegt. Auf einer solchen Ahnentafel findet sich neben dem Namen des Klubs immer auch der Hinweis auf VDH und FCI. Für jeden Hundekäufer ist der Blick auf die Ahnentafel und die Kontrolle auf die beiden genannten Organisationen daher von großer Bedeutung. Ferner findet man auf der Ahnentafel die Abstammung des Hundes über drei Generationen zurück, den korrekten Namen des Hundes, wie er dann auch bei einer Meldung angegeben und später im Katalog erscheinen soll (also nicht einen der häufig gebrauchten Ruf- oder Kosenamen des Vierbeiners!), die Zuchtbuchnummer, das Wurfdatum und – wo erforderlich – die richtige Farbbezeichnung.
Jeder Ausstellungswillige sollte also erst einmal auf der Ahnentafel (Stammbaum wird dieses Dokument auch genannt) seines Hundes prüfen, ob dieses Papier die angeführten Angaben enthält; noch einmal sei wegen der prinzipiellen Wichtigkeit an VDH und FCI erinnert! Immer wieder gibt es nämlich vor Zuchtschauen Enttäuschungen, weil Hunde von der Schauleitung zurückgewiesen werden müssen, die diese erste und wichtigste Voraussetzung nicht erfüllen. Es sind dies Hunde, die in Unkenntnis der Zusammenhänge nicht bei Züchtern der dem VDH ange-

schlossenen Rassehundevereinen gekauft wurden, sondern in Zoohandlungen, in Kaufhäusern, die also der Dissidens entstammen und auf irgendwelchen schwer nachvollziehbaren Wegen in des Wortes wahrstem Sinne auf den Markt gekommen sind.
Die Besitzer solcher Hunde, die ihre vierbeinigen Freunde oft besonders schön finden und sie ganz zu Recht auch besonders lieben, sind dann gelegentlich sehr verbittert über die strengen Bestimmungen der dem VDH angeschlossenen Klubs. Nur können die Vereine gerade an diesem Punkt keinerlei Konzessionen machen, wenn sie ihre eigenen, sehr streng gefaßten Zuchtziele und Zuchtvorstellungen nicht verwässern wollen. Mit Arroganz oder Dünkel der Rassehunde-Klubs hat es jedenfalls überhaupt nichts zu tun, wenn sie ihre Zuchtschauen nur solchen Hunden zugänglich machen, die von den grundsätzlichen Voraussetzungen her und aufgrund der Vorgaben des VDH in der Zucht verwendet werden könnten.

Praktische Vorbereitungen

Für die Meldung zur Ausstellung benötigt man bestimmte Formulare. An diese Formulare heranzukommen, ist allerdings für Klubmitglieder erheblich einfacher als für Außenstehende. In den gedruckten Mitteilungen der verschiedenen Vereine oder im VDH-Fachorgan »Unser Rassehund« – das im übrigen nicht im freien Zeitschriftenhandel am Kiosk zu erhalten ist – werden regelmäßig Schautermine veröffentlicht, meist für das ganze Jahr im voraus, dazu die Adressen der jeweiligen Schauleiter, also derjenigen Leute, die als »Kontaktpersonen« für eine Ausstellung von den Klubs benannt wurden. Von ihnen sind Einladungen und Meldeformulare zu bekommen; werden sie schriftlich angefordert, kommen sie meist postwendend ins Haus.
Ausstellungsneulinge, die keinem Verein angehören und die also nicht ohne weiteres in den Besitz von Terminen, Anschriften oder Meldeformularen kommen, haben meist keine andere Möglichkeit, als sich über Freunde oder Bekannte sachkundig zu machen. Ganz sicher hilft aber in diesem Fall der Züchter weiter, von dem der Hund erstanden wurde. Wenn es ein einigermaßen vielversprechendes Exemplar ist, wird der Züchter oft auch von sich aus an den Besitzer herantreten und ihn zu bewegen versuchen, sein »Zuchtprodukt« auf einer Ausstellung – auch ein wenig als Zwinger-Reklame! – vorzustellen. Der Züchter, zu dem der Besitzer eines Hundes ja oft über längere Zeit Kontakt hält, ist also in jedem Fall die richtige Adresse, wenn es für Neulinge um Ausstellungsfragen geht. Im übrigen bekommt er dort auch die notwendigen Tips im Zusammenhang mit der richtigen Vorbereitung des Hundes auf die Ausstellung – also für das Trimming oder das Vorführen im Ring.

Einlauf-Nr.: Inschrijfnummer:	**Meldeschluß:** **Cloture des Engagements:** **Sluitingsdatum:**	Katalog-Nr.: Catalogusnummer:

Meldung in: **Engagement:** **De hond wordt gemeld in:**

☐ Offene Klasse, Classe Ouverte, Open Klas
☐ Gebrauchshundklasse, Classe de Travail, Gebruikshondenklas
☐ Siegerklasse, Champions, Kampioensklas

Nur diese Klassen nehmen am CACIB-Wettbewerb teil. Keine Doppelmeldungen erlaubt.
Seulement ces classes concourrent entre elles pour l'attribution du CACIB. Des engagements doubles ne sont pas admis.
Alleen deze klassen competeren voor het CACIB. Melding in meer dan één klas is niet toegestaan.

☐ Jüngstenklasse, Puppie, Puppyklas
☐ Jugendklasse, Jeunes, Jeugdklas
☐ Junghundklasse, Novices, Jongehondenklas
☐ Ehrenklasse, Classe d'honneur, Ereklas
☐ außer Konkurrenz, hors concour, Ter opluistering

Nicht zum CACIB-Wettbewerb zugelassen. Keine Doppelanmeldungen erlaubt.
Ces classes ne concourrent pas entre elles pour l'attribution du CACIB. Des engagements doubles ne sont pas admis.
Deze klassen competeren niet voor het CACIB. Melding in meer dan één klas is niet toegestaan.

Rasse, race, Ras: ______________ ☐ Rüde, mâle, Reu
Farbe, couleur, Kleur: ______________ ☐ Hündin, femelle, Teef
Haarart, poil, Vacht: ☐ glatth., lisse, kort ☐ langh., long, lang ☐ rauhh., poil dur, ruw ☐ stockh., grossier, stok ☐ drahth., fil de Fer, draad
Größe, Grootte: ☐ groß, grand, groot ☐ mittel, moyen, middel ☐ klein, petit, klein ☐ Zwerg, nain, dwerg ☐ Kaninchenteckel Rabbit Dachshound Kaninchenteckel

Name d. Hundes: nom du chien: Naam van de hond:	
ZB-Nr.: PB. No., St-B-Nr.:	**gew. am,** né le, geb.
Titel, dist. d'epreuve, Titels:	
Vater, père, Vader:	
Mutter, mère, Moeder:	
Züchter, éleveur, Fokker:	
Besitzer, propriétaire, Eigenaar:	
Wohnort, domicile, Woonplaats:	
Straße, rue, Straat:	

☐ Bissig, mordant, Bijt

Meldung zum Zuchtgruppenwettbewerb: Beitrag –DM
feuille d'engagement pour le concours des lots d'élevage – Aanmelding voor fokgroepenwedstrijd.

Es sind insgesamt 3 Hunde gleicher Rasse aus meiner Zucht gemeldet. Ich nehme mit diesen Hunden am Zuchtgruppenwettbewerb teil.
Pour au moins 3 chiens de même race et variété, sans distinction de sexe, nés chez le producteur, mais pouvant appartenir à des exposants differents et déjà engagés individuellement.
Er zijn in totaal 3 honden van hetzelfde ras uit mijn fokkerij ingeschreven.

Rasse u. Zwingername
Race et nom d'élevage
Kennelnaam ______________

Name d. Züchters
nom d' élevage
Naam v. d. fokker ______________

____
PLZ, No. postale, Postcode Wohnort, domicile, woonplaats en straat

Blatt 1

 VDH-Meldeschein.

Die Übersicht über die verschiedenen Zuchtschauen gibt dem Aussteller am Anfang des Jahres die reizvolle Möglichkeit, anhand der Orte (aber gelegentlich auch anhand der jeweils berufenen Richter!) sich sein spezielles Jahres-Ausstellungs-Programm zusammenzustellen. Das Angebot ist meistens sehr umfangreich. Die Ausstellungssaison beginnt oft schon im Februar und reicht bis Mitte November/Anfang Dezember. Grundsätzlich sollte man sich für die gewählten Ausstellungen rechtzeitig entscheiden, weil es einen Meldeschluß gibt, nach dem noch eingehende Meldungen aus organisatorischen Gründen nicht mehr angenommen werden können. Vor allem bei den Internationlen Ausstellungen sind die Meldeschluß-Termine genau einzuhalten, weil allein die Größe der Veranstaltung, die umfangreichen Arbeiten bei der Erstellung des Katalogs und andere Vorbereitungen so viel Zeit beanspruchen, daß tagelanges »Nachkleckern« von Meldungen nicht akzeptiert werden kann.
Zurück zur eigentlichen Meldung. Jeder Klub hat für seine Zuchtschauen eigene Meldeformulare. Für Allgemeine und Internationale Ausstellungen werden vom VDH oder seinen Landesverbänden die entsprechenden Vordrucke versandt. Immer müssen auf den Meldeformularen der im Zuchtbuch eingetragene Name des Hundes, die seiner Eltern und die Zuchtbuchnummern angegeben werden, ferner das Wurfdatum, Namen des Züchters sowie Namen und Anschrift des Besitzers.

Die Klassen

Bei den meisten Zuchtschauen wird in verschiedenen Klassen gerichtet –, auch das kann für den Anfänger ein Buch mit sieben Siegeln sein.
Jüngstenklasse. Sie wird auf Allgemeinen oder Internationalen Ausstellungen ausgeschrieben. Die hier gemeldeten Hunde müssen mindestens sechs und dürfen nicht älter als neun Monate sein. Die hier gezeigten Hunde sind nicht nur vom Alter, sondern auch von der Entwicklung her noch weithin unfertig. Zu Recht werden in der Jüngstenklasse auch keine Formwerte vergeben, sondern allein die Hinweise »guter Nachwuchs«, »versprechend« und »vielversprechend«. Man kann geteilter Meinung sein, ob es sinnvoll ist, so junge Hunde schon zur Ausstellung zu bringen; dafür spricht aber, daß bei offensichtlich gut veranlagten Hunden damit eine Möglichkeit gegeben ist, sie frühzeitig Ausstellungsatmosphäre schnuppern und sie sich an all den damit verbundenen Trubel gewöhnen zu lassen. Ein verläßliches Urteil des Richters über die endgültige Qualität des Hundes kann in diesem Alter nicht erwartet werden.
Jugendklasse. Sie reicht bei den meisten Rassen von neun bis 18 Monate. Ausnahmen sind die Deutschen Schäferhunde, wo die Jugendklasse ab zwölf Monaten beginnt, die Deutschen Boxer, wo sie von neun bis zwölf Monate reicht, die Rott-

weiler begrenzen die Jugendklasse von zwölf bis 18 Monate, und schließlich die Teckel, bei denen die Jugendklasse von neun bis 15 Monate reicht. Insgesamt und für die große Mehrzahl der Rassen ist die Jugendklassenspanne recht weit: sie reicht vom gerade oder nicht einmal ganz fertigen Neunmonatigen bis zum voll entwickelten 18monatigen. Kein Wunder, wenn eine solche Jugendklasse im Ausstellungsring oft sehr wenig ausgeglichen wirkt. Daß es diese Klasse gibt, ist gut und hat seine volle Berechtigung. Sie ist Vorstufe und Vorbereitung zugleich für die anderen, oft sehr schwierigen Klassen, in denen sich die Hunde mit den absolut fertigen Exemplaren zu messen haben. In der Jugendklasse wird der Richter noch einiges nachsehen, nicht zuletzt die nicht immer ganz hundertprozentige Vorführung im Ring, das noch »erlaubte« Verspieltsein – eben die Jugend eines Hundes, die – wie beim Menschen – gelegentlich einiges entschuldigen läßt. Manche Klubs vergeben in der Jugendklasse den Formwert »Sehr gut« als höchstes Prädikat. Damit trägt man der Erkenntnis Rechnung, daß viele Hunde länger Zeit brauchen, sich endgültig auszuformen und zu festigen, aber auch, daß ein Hund sich in Statur und Größe noch verändern kann.

Offene Klasse. Sie beginnt in aller Regel mit 15 Monaten. Bei den Deutschen Schäferhunden und bei den Rottweilern heißt sie auch Altersklasse und beginnt mit 24 beziehungsweise 20 Monaten. Auch in dieser Klasse kann also die altersmäßige Spanne sehr weit sein. Dies gilt um so mehr, als die Offene Klasse bei einigen Vereinen in des Wortes wahrstem Sinne »offen« ist und bei den Spezialzuchtschauen dieser Klubs bereits für neunmonatige Hunde frei ist. In den meisten Fällen ist die Konkurrenz in der Offenen Klasse quantitativ und qualitativ überaus schwer. Hier versammelt sich ja auch alles, was etwa schon auf dem Sprung zu höheren Ausstellungsehren ist, also zum Beispiel die »Siegeranwärter«, die bereits große Auszeichnungen bekommen haben, ohne die endgültige Qualifikation für den Start in der Siegerklasse zu besitzen. Hier sind die gerade der Jugendklasse entwachsenen zu finden; es kommen in die Offene Klasse die vielen, oft sehr schönen Hunde, die in Privathand sind und eine Konkurrenz oft völlig unvorhersehbar werden lassen. Oft ist es schon passiert, daß Ausstellungsprofis nach dem Studium des Katalogs meinten, den Sieger bereits fest vorhersagen zu können, und sich dann sehr wunderten, wenn ein »Namenloser« mit einem Mal Furore machte. Wer die Offene Klasse gewinnt, ist in aller Regel ein besonders schöner Hund; wer sich hier durchsetzt, muß schon etwas bieten.

Gebrauchshundklasse. Sie wird bei manchen Vereinen auch Arbeitsklasse genannt, entsprechend dem Französischen, wo sie als »Classe de Travail« bezeichnet wird. Diese Klasse ist bei Allgemeinen und Internationalen Rassehundeausstellungen für Hunde ab 15 Monate offen, bei manchen Spezialzuchtschauen der Klubs gibt es diese Limitierung nicht. Dies ist eine ganz besonders wichtige Klas-

Vor dem Auftritt.

se, und die hier gemeldeten Hunde verdienen auf den Ausstellungen große Aufmerksamkeit. Vor allem bei den Gebrauchshunden verkörpern diese Hunde das hohe Ziel, Schönheit und Leistung in der Zucht so zu vereinen, daß auch in einem schweren Wettbewerb konkurrenzfähige Jagdgebrauchshunde in den Ring kommen können. Freilich beschränkt sich diese Klasse nicht auf Jagdhunde mit erfolgreich absolvierten Prüfungen. Hier sind auch Gebrauchshunde wie Deutsche Schäferhunde, Rottweiler oder Boxer mit entsprechenden Ausbildungskennzeichen nach bestandener Leistungsprüfung zu sehen. Über die jeweiligen Vorgaben und Bedingungen informieren die Klubs aufgrund ihrer Prüfungsordnungen.

Siegerklasse. Sie ist den Champions und den Gewinnern bestimmter Titel vorbehalten. Der VDH hatte für die Meldung in die Siegerklasse bisher folgende Einschränkungen gesetzt: der Hund muß entweder ein Internationales Championat (der FCI) oder ein Nationales Championat (wie Deutscher Champion, Französischer Champion usw.) oder den VDH-Siegertitel besitzen; ferner berechtigen Welt-, Europa- und Bundessieger sowie Winner Amsterdam. Das bedeutet, daß die Gewinner irgendwelcher Jubiläumsschauen (wie »Sieger München« oder ähnliches) nicht für den Start in der Siegerklasse qualifiziert sind. In jüngster Zeit standen jedoch Änderungen zur Diskussion. Die Aussteller sollten daher genau auf die Vorgaben in den Ausschreibungen achten. Die hier gemeldeten Hunde bilden gewissermaßen die »Creme«; natürlicherweise ist die Siegerklasse nie auch nur annähernd so stark besetzt, wie etwa die Offene Klasse. Für die Meldung in der Siegerklasse ist selbstverständlich – wie in der Gebrauchshundklasse – der entsprechende Nachweis entweder bereits bei der Meldung, oder aber auf Verlangen beim Schauleiter vorzulegen. Dies ist keine unbillige Forderung, denn niemand kann alle gemeldeten Hunde so gut im Kopf haben, daß er auf Anhieb wüßte, dieser oder jener hat die geforderten Bedingungen erfüllt oder nicht. Für den Zuschauer ist es besonders eindrucksvoll, wenn er in der Siegerklasse vier oder fünf Hunde erlebt; immerhin sieht er die Spitzentiere der gegenwärtigen Zucht, diejenigen also, die nach dem Urteil der Richter dem Zuchtziel der jeweiligen Rasse am nächsten kommen.

Auf den Internationalen Ausstellungen gibt es für einige Rassen noch die Junghundklasse, so bei den Deutschen Schäferhunden (ab 18 Monaten), bei den Deutschen Boxern (12 bis 18 Monate) und bei den Rottweilern (18 bis 24 Monate). Einige Rassen führen die **Zuchtklasse.** Die hier gemeldeten Hunde müssen sich noch in der Hand des Züchters befinden. Diese Klasse bietet Züchtern, die mehrere Hunde auf einer Ausstellung vorstellen, die Möglichkeit, sich nicht in einer Klasse selbst Konkurrenz machen zu müssen. Diese Klasse gibt es nicht auf Internationalen Ausstellungen.

Die **Veteranenklasse,** manchmal auch Seniorenklasse genannt, wird ebenfalls bei einigen Klubs auf deren Spezialzuchtschauen gepflegt. Die Altersgrenze, die zum Start in dieser Klasse berechtigt, differiert oft, sie liegt gelegentlich bei acht Jahren. Diese Veteranen-/Seniorenklasse ist eigentlich eine gute Einrichtung, denn sie würdigt jene Hunde, die sich auch im fortgeschrittenen Alter noch ausstellungsreif präsentieren, ohne mit den im besten Hundealter stehenden jüngeren Artgenossen um den Sieg streiten zu müssen.

Die **Ehrenklasse**, die es ebenfalls häufig, aber nicht bei allen Klubs gibt, ist früheren Siegern und Champions vorbehalten, die ebenfalls noch in ausstellungsreifer Kondition sind, sich aber nicht an der Konkurrenz um Sieg und Anwartschaften beteiligen. Auch die hier gezeigten Hunde sind eine Demonstration für gute Haltung und Pflege, die von den Zuschauern gewürdigt wird, sofern sie den Sinn der Ehrenklasse erkannt haben.
Schließlich ist es möglich, »Außer Konkurrenz« zu melden. Ein solcher Hund erhält lediglich einen Formwert, ist aber keiner Klasse zugeteilt, in der es um Plazierungen und Reihungen geht.

Meldeschein und Meldegeld

Hat sich der Aussteller nun darüber Klarheit verschafft, in welcher Klasse er seinen Hund melden kann, so trägt er dies in das Meldeformular ein. Den vollständig ausgefüllten und mit seiner Unterschrift versehenen Meldeschein schickt er an den Schauleiter, der bei Internationalen Ausstellungen Sonderleiter heißt. Das erklärt sich daher, daß die einzelnen Klubs und Vereine einer Internationalen Schau (auch der Bundessieger-, Europasieger- oder Weltsiegerausstellung) sogenannte Sonderschauen anschließen. Dies wiederum hat zur Folge, daß die Vereine das Recht erhalten, Richter ihrer eigenen Wahl zu bestellen; diese Aufgabe fällt ansonsten in den Verantwortungsbereich der VDH-Schauleitung.
Gleichzeitig wird das Meldegeld fällig, dessen Höhe in der Ausschreibung und auf dem Meldeformular erkennbar ist. Das Meldegeld wird auf ein angegebenes Konto überwiesen; es ist unter allen Umständen zu entrichten, auch wenn sich später herausstellen sollte, daß der Hund an der Ausstellung nicht teilnehmen kann – beispielsweise, weil eine Hündin läufig wurde. Nenngeld ist Reuegeld – so lautet ein alter Spruch, der im Ausstellungswesen vorbehaltlos gültig ist. Es ist auch eine immer wieder zu beobachtende Unsitte, daß Meldegeld nicht vorher, sondern am Schautag selbst entrichtet wird. Damit wird dem Veranstalter oft eine unzumutbare Mehrarbeit aufgebürdet.

Veterinärbestimmungen

Zu den formalen Vorbereitungen für die Ausstellung gehört schließlich auch, daß sich der Aussteller über die veterinärpolizeilichen Vorschriften sachkundig macht. Bei den meisten Ausstellungen genügt die Vorlage eines gültigen Tollwutschutz-Impfzeugnisses; das besagt, daß die Impfung nicht jünger als vier Wochen und nicht älter als ein Jahr sein darf. Es gibt aber auch Ausstellungen, bei denen die Behörden ein Ursprungszeugnis verlangen, also einen Nachweis, daß in der Gemeinde, aus welcher der Hund kommt, in einer bestimmten Zeit keine Tollwut

Auszug aus der Amtsveterinär-Anordnung

I. Verbot:

1. Die Veranstaltung darf nicht durchgeführt werden, wenn das jeweilige Veranstaltungsgelände zum Zeitpunkt der Veranstaltung in einem wegen Hunde- oder Katzentollwut oder des Verdachtes dieser Seuche zum gefährdeten Bezirk erklärten Gebiet liegt.
2. Die Veranstaltung darf nicht durchgeführt werden, wenn das jeweilige Veranstaltungsgelände zum Zeitpunkt der Veranstaltung in einem wegen Wildtollwut oder des Verdachtes dieser Seuche zum gefährdeten Bezirk erklärten Gebiet liegt.

   Dies gilt nicht, wenn die Veranstaltung innerhalb einer geschlossenen Ortschaft und auf einem sicher umfriedeten Grundstück stattfindet.

II. Beschränkungen:

1. Die Veranstaltung wird vom Amtstierarzt überwacht. Seinen Anordnungen ist von der Veranstaltungsleitung und von den Teilnehmern Folge zu leisten.
3. Hunde, die aus einem wegen Hunde- oder Katzentollwut oder wegen Verdachtes dieser Seuche zum gefährdeten Bezirk erklärten Gebiet stammen

   oder

   Hunde, die aus einem wegen Wildtollwut oder wegen Verdachtes dieser Seuche zum gefährdeten Bezirk erklärten Gebiet stammen, dürfen an der Veranstaltung nur teilnehmen, wenn diese Hunde – bei Erfüllung der sonstigen Anordnungen – spätestens vier Wochen und frühestens zwölf Monate vorher gegen Tollwut geimpft worden sind. Der Nachweis ist durch folgende tierärztliche Bescheinigung zu erbringen:

Tierärztliche Bescheinigung	Besondere Kennzeichen
Name und Wohnort des Tierhalters	Datum der Impfung
Rasse des Tieres	Art des Impfstoffes
Geschlecht des Tieres	Hersteller des Impfstoffes
Farbe des Tieres	Kontrollnummer des Impfstoffes
	Tierarzt

3.1 Als tierärztliche Impfbescheinigung gilt auch eine entsprechende Eintragung im Impfpaß.

4. Hunde aus der Bundesrepublik Deutschland, die nach dem 10. Mai 1979 geworfen sind, dürfen nicht an der Veranstaltung teilnehmen.
5. Während der Veranstaltung sind die teilnehmenden Hunde von ihren Begleitpersonen ständig so zu beaufsichtigen, daß ein Beißen unmöglich ist.
6. Vorstehendes Verbot und vorstehende Beschränkungen sind allen Besitzern der an der Veranstaltung teilnehmenden Hunde rechtzeitig zur Kenntnis zu geben.

III. Hinweise:

1. Werden bei der Anlieferung der Hunde oder im Verlauf der Veranstaltung seuchenkranke oder -verdächtige Tiere ermittelt, greifen die einschlägigen Bestimmungen des Viehseuchengesetzes und der Verordnung zum Schutze gegen die Tollwut Platz.
2. Hunde aus dem Ausland, die nach dem 10. Mai 1979 geworfen sind, dürfen an der Veranstaltung nicht teilnehmen.
3. Ich behalte mir vor, zusätzliche Maßnahmen vorzuschreiben oder die Veranstaltung – entschädigungslos – zu verbieten, wenn die allgemeine Seuchenlage dies erfordert oder die Maßnahmen nicht befolgt werden.
4. Für Schäden, die durch die Veranstaltung oder meine Auflagen entstehen, können keine Ersatzansprüche gegenüber der Stadt Essen oder ihren ausführenden Organen geltend gemacht werden.
5. Die sonstigen z. Z. gültigen viehseuchenrechtlichen Vorschriften bleiben unberührt

mehr registriert wurde. Auf jeden Fall ist es ratsam, den in der Ausschreibung enthaltenen Passus über die Veterinärbestimmungen sorgfältig zu lesen und, vor allem, zu beachten. Die kontrollierenden Veterinäre sind unzugänglich, wenn die geforderten Papiere nicht vorgelegt werden können, und es gab schon häufig genug Aussteller, die wieder nach Hause reisen mußten, weil sie diesen Teil der Formalien nicht ganz ernst genommen hatten. Besondere Vorsicht ist auch bei Ausstellungen im Ausland am Platze, weil dort oft auch noch Sprachschwierigkeiten die Verständigung erschweren können. Dort ist es ganz besonders ratsam, die Auflagen der Veterinärbehörden zu erfüllen.

Bei Internationalen Ausstellungen bekommt der Aussteller alsbald nach seiner Meldung eine Bestätigung, daß sein Hund angenommen worden ist und zur Ausstellung erscheinen kann. Bei den Spezialzuchtschauen der Klubs wird das seltener getan; dort bekäme allenfalls derjenige Nachricht, dessen Hund nicht zugelassen worden ist –, was im übrigen höchst selten vorkommt und nur dann, wenn gegen den Aussteller ein klubinternes Ausstellungsverbot verhängt worden ist, oder wenn sich die Angaben über die Abstammung oder über Siegertitel wie Leistungszeichen als unrichtig herausgestellt haben sollten.

Impfpaß, eventuell das Gesundheitszeugnis, die Ahnentafel und schließlich die Annahmekarte sind diejenigen Dinge, die der Aussteller sorgfältig aufbewahren und am Ausstellungstag zur Hand haben sollte.

Der Hund vor der Ausstellung

Dieses Kapitel ist in besonderer Weise für diejenigen gedacht, die sich zum ersten Mal in das »Abenteuer« Ausstellung zu stürzen gedenken. Es wäre nämlich ein Irrtum zu glauben, daß es allein der formalen Vorbereitungen auf eine Ausstellung bedarf. Gerade auch der Mittelpunkt des Geschehens, nämlich der Hund, braucht seine ganz speziellen Vorbereitungen.

Das fängt damit an, daß der Hund unbedingt an Menschen, an andere Hunde und auch an einen gewissen Trubel gewöhnt werden muß. Was nämlich bei einer Ausstellung an neuen Eindrücken auf ihn zukommt, ist für die Hundepsyche gewiß nicht wenig. Das gilt in besonderer Weise für die meist sehr lauten Ausstellungen in Hallen; wenn immer es möglich ist, sollte man daher den Einstieg in die Ausstellungswelt auf einer Spezialzuchtschau suchen, die im Freien stattfindet und die den Hund die Gewöhnung an die neue Umgebung ein wenig leichter werden läßt. Man sollte also seinen Hund aus der Idylle des Zwingers oder der Wohnung rechtzeitig herausholen, um ihn eine auch hektische Umwelt kennenlernen zu lassen; das Zusammentreffen mit Hunden auch anderer Rassen, das Spazierengehen in belebten Straßen, der Besuch einer lauten Gaststätte – dies alles sind relativ leicht zu verwirklichende Gelegenheiten dafür.

Kommt man mit einem gänzlich unvorbereiteten Hund zu einer großen Ausstellung, kann es durchaus passieren, daß dieser ansonsten völlig freie und fröhliche Hund mit einem Mal alle Unbefangenheit verliert, ängstlich oder manchmal sogar aggressiv wird und sich nicht im entferntesten so präsentiert, wie sein Besitzer ihn bislang gekannt hat. Die Enttäuschung, die dann über den Formwert entstehen kann, nimmt manchem Anfänger die Lust am weiteren Ausstellen – obwohl er doch an einem solchen Fiasko selbst schuld ist. Nur ganz wesensfeste und vielleicht auch unsensible Hunde verkraften die Hektik einer großen Ausstellung beim ersten Mal ganz spurlos.

Pflege des Hundes

Zur Vorbereitung des Hundes auf die Ausstellung gehört aber auch, daß – bei den Rassen, wo dies notwendig ist – das Haarkleid in »Schaukondition« gebracht wird. Dies sollten Anfänger nach Möglichkeit nicht allein tun. Sie sollten sich vielmehr unter allen Umständen in die Obhut eines erfahrenen Ausstellers, eines

Züchters oder einer Kontaktperson des jeweiligen Klubs begeben, die ihnen genau sagen können, wo getrimmt werden soll oder muß, wo es nicht geschehen darf, mit welchen Hilfsmitteln man das tut oder zu welchem Zeitpunkt vor der Ausstellung.

Diejenigen Rassen, bei denen die Bewertung des Haarkleides eine Rolle spielt, zum Beispiel Britische Hütehunde, Spaniels, Afghanen, Pudel, um nur einige, ganz wenige zu nennen, haben meist genaue, vom Standard der Rasse vorgegebene Bestimmungen, wie das Haar auszusehen habe. Falsche Behandlung kann da schwere, lange nicht wieder gut zu machende Schäden verursachen, die bei der Bewertung des Hundes absolut negativ zu Buche schlagen müssen.

Die »Do-it-yourself-Methode« ist hier also so lange unangebracht, wie man nicht selbst die Sicherheit erworben hat, seinen Hund sachgerecht fertig zu machen. Und wie gesagt: dies sollte nicht zu kurz vor der Ausstellung geschehen, weil sonst dem Richter sehr schnell deutlich wird, daß an dem Haarkleid gearbeitet wurde, und eventuell auch an Stellen, wo es die Vorschriften eigentlich nicht zulassen. Dieser Hinweis soll nicht als Anleitung zum Betrug mißverstanden werden. Aber es gibt auch bei den pflegeintensiven Rassen kaum einen Hund, der gewissermassen völlig naturbelassen in den Ring zur Beurteilung gehen könnte. Weil das aber so ist, muß man das eine oder andere an seinem Hund tun – und dies wiederum sollte so rechtzeitig geschehen, daß es dem Richter nicht auf den ersten Blick auffällt. Der Richter kann schon erkennen, ob beispielsweise die Decke bearbeitet wurde, er weiß die Textur des Haares richtig einzuschätzen, und er weiß auch, wo bei allen Hunden Schönheitskorrekturen notwendig und daher zu akzeptieren sind.

Was für Richter und Zuschauer gleichermaßen unschön ist, sind ungepflegte Hunde im Ring. Das betrifft in ganz besonderer Weise die langhaarigen Rassen, aber auch all die anderen, deren Haarkleid einer regelmäßigen Pflege bedarf. Man muß von einem Aussteller verlangen können, daß er seinen Hund im optimalen äußerlichen Zustand vorstellt. Am Aussteller liegt es nämlich, ob er das regelmässige Kämmen oder Bürsten gemacht oder ob er es versäumt hat. Vieles, wenn auch zugegebenermaßen nicht alles, ist beim Haarkleid des Hundes allein durch die regelmäßige, tagtägliche Pflege zu erreichen. Oft müßte ein Hund vor der Ausstellung gar nicht unbedingt stundenlang »fertig gemacht« werden, wenn er vorher die seiner Rasse entsprechende Pflege regelmäßig erfahren hätte. Im übrigen geben alle Klubs genaue Hinweise, welche Pflegeinstrumente für ihre Rasse sinnvoll und richtig sind.

Über das Baden vor Ausstellungen wurde schon viel diskutiert. Grundsätzlich muß gesagt werden, daß ein Hund möglichst selten gebadet werden sollte – und ganz besonders selten mit mehr oder minder scharf wirkenden Shampoos. Zu-

gleich ist aber auch richtig, daß ein offensichtlich schmutziger Hund vor der Ausstellung gebadet werden sollte. Es ist ein absolut unschöner Anblick, wenn ein Hund mit viel Weiß im Haarkleid in ein leichtes Gelb übergegangen ist. Solche Nachlässigkeiten des Ausstellers – für die der Hund natürlich gar nichts kann – können im Wettstreit der Schönsten entscheiden, denn eine Zuchtschau ist schließlich auch eine Schönheitskonkurrenz; und dazu gehört bekanntlich auch ein gepflegtes Äußeres!
Um es ganz deutlich zu sagen: es sollte niemals der Hund mit dem Bade ausgeschüttet werden! Unter keinen Umständen sollte also der Hund zu häufig, also vor jeder Ausstellung etwa, gebadet werden. Aber wenn es offensichtlich notwendig ist, muß es sein.
Zur vorbereitenden Pflege gehört im übrigen auch ein kritischer Blick in den Fang des Hundes. Zähne, die mit allzu viel Zahnstein belegt sind, sollten gereinigt werden. Man kann dies, wenn es nicht zu weit fortgeschritten ist, manchmal mit dem

Konkurrenz unter sich.

Fingernagel erreichen. In der Regel muß aber der Tierarzt den Zahnstein entfernen. Das ist nicht nur eine ästhetische Forderung, sondern für den Hund eine gesundheitliche Notwendigkeit. Zuviel Zahnstein bewirkt leicht Entzündungen des Zahnfleisches und eventuell vorzeitigen Zahnverlust. Oft reicht bei der heutigen Ernährungsweise und bei der Qualität des Wassers der viel zitierte Hinweis auf den regelmäßigen Kalbsknochen nicht mehr aus; in solchen Fällen sollte man in der Tat den Tierarzt aufsuchen.

Um beim Thema Zähne zu bleiben: auf allen Zuchtschauen wird von den Richtern das Gebiß des Hundes geprüft. Er hebt dazu meist die Lefzen hoch oder öffnet auch den Fang, um einmal die Vollständigkeit des Gebisses (42 Zähne, mehr auf S. 66) zu prüfen, zum anderen auch, um die richtige Stellung der Kiefer zu sehen. Auch hier kann sich der Ausstellungs-Anfänger späteren Ärger ersparen, wenn er seinen Hund schon einmal von einen Fachmann auf das korrekte Gebiß hin untersuchen läßt. Die meisten Zahnfehler sind formwertmindernd, einige sind sogar zuchtausschließend. Das muß man wissen, und darüber muß man sich rechtzeitig informiert haben, um eine spätere Enttäuschung zu vermeiden. Es ist nämlich immer wieder erstaunlich, wie häufig doch Hunde mit Zahn-Anomalien auf Ausstellungen gezeigt werden – und dann schlechter bewertet werden müssen, als sie es vom sonstigen Erscheinungsbild her verdienten.

Und noch etwas ist dabei wichtig. Diese Zahnkontrolle muß unbedingt vor der Ausstellung häufig geübt werden. Es sollte auch von Freunden oder Bekannten der Familie getan werden, weil der Richter auf der Ausstellung ja auch keine dem Hund vertraute Person ist. Viele Hunde mögen es nicht, wenn ihnen ein Fremder in den Fang geht, manche reagieren sogar ausgesprochen aggressiv und versuchen zu schnappen – was wiederum bei vielen Rassen zur Disqualifikation führen kann. Häufiges und intensives Üben kann hier also nur von Vorteil sein. Je einfacher und reibungsloser die Zahnkontrolle dann auf der Ausstellung vor sich geht, desto weniger Aufregung entsteht für den Aussteller und für den Hund.

Auch Laufen und Stellen muß geübt werden

Beim Richten im Ring muß der Hund eine intensive anatomische Prüfung über sich ergehen lassen. Diese Prüfung erfolgt sowohl im Stand als auch in der Bewegung. Dabei ist es verständlicherweise besonders wichtig, daß sich der Hund in einer Weise präsentiert, die seine Qualitäten besonders gut zur Geltung bringen. Das Stellen, bei den meisten kleineren Rassen geschieht das auf einem Tisch, soll die ideale Haltung des Hundes hervorbringen. Es gibt da wahre Meister ihres Faches, die es auch schaffen, einen Hund so phantastisch hinzustellen, wie er aufgrund seiner anatomischen Bedingungen gar nicht stehen könnte. Ein erfahrener

Richter erkennt das natürlich, weil er den Hund spätestens in der Bewegung in allen seinen Stärken und Schwächen sieht – und gerade die Schwächen in der Bewegung sind in aller Regel die Folge anatomischer Mängel. Gleichwohl gehört das richtige Stellen zum Einmaleins des Ausstellens. Es sollte, wie gesagt, ein möglichst natürlicher Stand vorgeführt werden, wobei kein Richter daran Anstoß nimmt, daß der Führer diesen Stand durch Korrekturen immer wieder zu verbessern sucht. Bei manchen Rassen ist im Stand eine ganz bestimmte Rutenhaltung vorgeschrieben; dies muß immer und immer wieder zu Hause geübt werden, damit der Hund dann auf der Ausstellung überhaupt begreift, was er soll. Bei manchen Rassen wiederum soll der Hund ohne die Unterstützung des Führers frei an der lockeren Leine stehen. Es ist natürlich auch für den Richter das schönste Bild, wenn der Hund seine Idealhaltung von sich aus findet und über eine gewisse Zeit auch beibehält.

Das Verfahren ist bei den verschiedenen Rassen sehr unterschiedlich, und der Anfänger ist gut beraten, auch darüber sich frühzeitig zu informieren.

Zu dem, was man zusammenfassend »Ringdressur« nennt, gehört schließlich auch das richtige Laufen. Der Aussteller führt seinen Hund grundsätzlich mit der linken Hand und bewegt sich im Ring im umgekehrten Uhrzeigersinn. Dabei soll sich der Hund im Trab bewegen, weil dies die natürliche Fortbewegungsart der Hunde ist. Der Aussteller hat also darauf zu achten, daß sich sein Hund an der Leine im mittleren Trab flüssig vorwärts bewegt – ohne seinem Führer in die Beine zu springen, ohne nach der Leine zu hüpfen und ohne sich wie ein Flipper tollend im Ring zu gebärden. Dies kann man von früher Jugend an, und zwar vom vierten oder fünften Monat an, mit dem Hund auf jeder Wiese oder auf jedem asphaltierten Parkplatz üben. Dabei ist es gut, wenn der Hund seinen Kopf aufrecht trägt, weil dies seine Außenlinie besser zur Geltung bringt, und es ist auch gut, wenn der Führer mit seinem Hund beim Laufen spricht, um ihn zu einer Rutenbewegung zu bringen. Bei einigen Rassen wirkt die beim Vorführen im Ring geklemmte Rute nämlich formwertmindernd; mit ein wenig Ansprache und etwas Aufmunterung kann man da vieles erreichen. Unter allen Umständen sollte vermieden werden, den Hund an der Leine im Ring so hochzuziehen, daß die Vorderläufe – überspitzt gesagt – beinahe den Kontakt zum Boden verlieren. Dies ist eine häufig zu beobachtende Unsitte von Ausstellern, die damit eine bessere Hals-Rückenlinie herbeizaubern wollen, als sie der Hund in Wahrheit hat. Der Richter wird in einem solchen Fall mit Sicherheit dazu auffordern, die Leine locker durchhängen zu lassen –, und so sollte man das Laufen auch üben. Wichtig ist noch der Hinweis, daß für die Ausstellung nach Möglichkeit eine Vorführleine benutzt werden sollte. Diese gibt es in jedem Fachgeschäft oder auf Verkaufsständen auf der Ausstellung. Es sind schmale, sehr leichte Leinen, die es in verschiedenen Farben gibt. Dabei kann der Aussteller auch darauf achten, daß die Farbe der Vorführleine mit der Farbe des Haarkleides seines Hundes harmoniert. Es sollten jedenfalls keine Leinen genommen werden, die durch einen allzu abrupten Farbkontrast etwa die Halslinie des Hundes unterbrechen und den Hals somit optisch kürzer erscheinen lassen, als er in Wirklichkeit ist. Das sind allerdings Feinheiten, auf die es zunächst sicher nicht unbedingt ankommt, die aber irgendwann, wenn es um höhere Ehren des Hundes geht, ins Gewicht fallen können.

Gefälliges Ausstellen

Aus alledem wird schließlich auch deutlich, daß Ausstellung eben auch ein bißchen Schau (Zuchtschau!) ist; das gekonnte Vorführen, die Ringdressur, die gefällige Präsentation hat nicht primär mit der Anatomie des Hundes zu tun. Aber beides zusammen, der korrekt aufgebaute Hund und das gefällige Ausstellen schaffen jene Kombination, auf die es im Ring letztenendes ankommt. Man muß in diesem Zusammenhang nicht England oder die Vereinigten Staaten zitieren, wo professionelle Vorführer (»handler«) das Ausstellen des Hundes nahezu zur Perfektion gebracht haben. Ausstellungen dort beinhalten vielmehr als bei uns das zitierte Show-Element, auch wenn natürlich an der Substanz des Ganzen nichts verloren geht: hier wie dort geht es in erster Linie selbstverständlich um den standardgerechten Hund. Aber eine intensive Vorbereitung des Hundes auf das, was im Ring von ihm verlangt wird, kann niemals schaden. Wenn das einigermaßen spielerisch angefangen wird und von der frühen Jugend des Hundes an kontinuierlich fortgesetzt wird, ist es überhaupt keine Zauberei, einen einwandfrei laufenden und phantastisch stehenden Hund zu präsentieren. Diese Kunst ist keineswegs nur den Züchtern vorbehalten, sondern es kann sie jeder erlernen, der ein wenig Zeit und natürlich Geduld zu investieren bereit ist. Wer öfter auf Ausstellungen gehen will, sollte diese eigentlich geringe Mühe auf sich nehmen; das Ergebnis wird es in jedem Fall lohnen.

Der Ausstellungstag

Der Tag, an dem der Hund – sei es nun zum ersten oder zum wiederholten Male – auf einer Ausstellung den gestrengen Augen des Richters vorgestellt wird, sollte sorgfältig geplant und in allen Punkten genau vorbereitet werden. Da man nicht davon ausgehen kann, daß die gewählte Ausstellung gewissermaßen vor der eigenen Haustür stattfindet, müssen sich die Vorbereitungen sinnvollerweise bereits auf die notwendige Reise erstrecken.

Für Unterkunft sorgen

Oft kommt es vor – vor allem im westlichen Ausland –, daß große Ausstellungen, also Internationale, für alle Rassen in verhältnismäßig kleinen Städten stattfinden. Dort gibt es dann meistens nur begrenzte Übernachtungsmöglichkeiten. Zwar sind den Ausschreibungen der Ausstellungen häufig Hotel- und Pensionsadressen beigefügt, aber sie reichen niemals für alle Übernachtungswilligen aus.
Nichts aber ist für Aussteller und Hund nervenaufreibender, als am Vorabend der Schau irgendwo herumzuirren, ohne zu wissen, wo man schließlich sein müdes Haupt zur Ruhe betten kann! Die dabei entstehende, stündlich wachsende Nervosität überträgt sich erfahrungsgemäß auf den vierbeinigen Begleiter – und vor allem der soll ja am nächsten Morgen fit im Ring erscheinen. Deswegen sollte man sehr rechtzeitig eine Unterkunft in dem Ort bestellen, in dem die Ausstellung stattfindet. Eine oft praktizierte Möglichkeit ist auch, sich in unmittelbarer Nähe des betreffenden Ortes etwas zu suchen, von wo aus man am Ausstellungstag ohne größeren zeitlichen Aufwand zum Schaugelände gelangen kann.
Niemand sollte glauben, daß eine bequeme, gut verbrachte Nacht nicht auch Auswirkungen auf das Befinden des Hundes am Ausstellungstag hätte. Freilich gibt es viele Hunde, die – ohne etwa darunter zu leiden – die Nacht im Auto verbringen können. Sinnvoll ist das vor allem bei großen Hunden oder wenn man mehrere Tiere zur Ausstellung bringt. Vor allem für den Einzelhund, der es eben nicht gewohnt ist, die Nacht im Auto zu verbringen, sollte man aber im Hinblick auf die Übernachtung vorplanen. Am wohlsten fühlt sich der Hund immer in seiner gewohnten Umgebung. Deswegen fahren viele Aussteller, wenn immer dies möglich ist, am liebsten erst am Ausstellungstag los: der Hund, der bekanntlich ein Gewohnheitstier ist, wird dann natürlich am kürzesten und für ihn selbst am wenigsten belastend aus »seiner« Welt gerissen.

Vorbildliches Stellen.

Wenn dies aber nicht möglich ist, sollte man in seinem eigenen und in seines Hundes Interesse für eine unproblematische, ruhige und ausführliche Nachtruhe sorgen. Am Morgen der Ausstellung ist rechtzeitiges Aufbrechen angezeigt. Wer noch mit dem Auto unterwegs sein muß, sollte nicht riskieren, auf der Autobahn in einen Stau zu kommen; er sollte auch nicht so schnell fahren müssen, daß er psychisch und physisch erschöpft auf dem Schaugelände eintrifft und dort – wahrscheinlich – keinen Parkplatz in unmittelbarer Nähe der Halle oder des Freigeländes findet.

Rechtzeitig aufbrechen

Schließlich muß man ja auch mit seinem oder seinen Vierbeinern vom Auto zum eigentlichen Veranstaltungsort laufen: voll bepackt mit allen notwendigen Utensilien ist das meistens nicht das reine Vergnügen. Erwischt man dann noch einen Tag mit richtigem »Schmuddelwetter« und hat man zudem noch einen pflegeintensiven Hund und landet schließlich auf einem unbefestigten, fast unter Wasser stehenden Parkplatz (der Fall ist keineswegs konstruiert, sondern schildert immer wiederkehrende Ausstellerwirklichkeit!), dann kann es schon sein, daß man sich am Rande seiner Nervenkraft glaubt und am liebsten umkehren würde, um einen gemütlichen Sonntag im eigenen, trockenen Heim zu verbringen.
Ein bißchen kann man dies – wie gesagt – vermeiden, indem man bei seinen Aufbruch- und Fahrtzeiten so großzügige Toleranzen einkalkuliert, daß man am Ausstellungsort beispielsweise die Zeit hat, mehrmals zum Wagen zu gehen, den oder die Hunde unabhängig vom Gepäck in die Halle zu bringen und sich und dem Hund die Ruhe zu gönnen, die zur Sammlung und Konzentration für beide Teile notwendig ist.

Der Einlaß

Rechtzeitiges Aufbrechen und Ankommen bewahrt auch vor lästigem Warten am Einlaß. Bei allen größeren Ausstellungen sind die Eingänge für Besucher und Aussteller voneinander getrennt. Am »Einlaß für Hunde« erfolgt dann auch die Kontrolle des Veterinärs. Er überprüft die Gültigkeit des Impfpasses; meistens wird ein gültiges Tollwutschutz-Impfzeugnis verlangt, oder, wie bereits beschrieben, ein amtstierärztliches Attest. In der Regel beschaut sich der Veterinär den Allgemeinzustand des Hundes, ob er sichtbare Zeichen einer Krankheit trägt oder ob Hündinnen offensichtlich läufig sind und daher ausgeschlossen werden müssen. Diese Veterinärkontrolle hält bei größerem Andrang oft recht lange auf, obwohl sie sich im allgemeinen auf die Prüfung der geforderten Papiere beschränkt.
Es empfiehlt sich unter allen Umständen, diese Papiere zur Hand zu haben. Um es zu wiederholen: wer den Impfpass vergessen hat, muß damit rechnen, nicht eingelassen zu werden. Da hilft kein Lamentieren und kein Schimpfen, die veterinärpolizeilichen Vorschriften sind nicht umsonst sehr streng und werden im In- und Ausland fast immer restriktiv gehandhabt. Der kontrollierende Veterinär ist immer im Recht, wenn er Hunde abweist, deren Papiere nicht den geforderten Bestimmungen entsprechen.

In der Schlange der vor dem Hunde-Einlaß wartenden Vierbeiner kann es dann schon zu Knurrereien oder auch einmal zu einer Rauferei kommen, vor allem dann, wenn sich auf engstem Raum in Größe oder Temperament allzu unterschiedliche Rassen begegnen.
In jedem Fall muß man diesen Aufenthalt beim Einlaß in die zeitlichen Dispositionen des Ausstellungstages einbeziehen. Rechtzeitiges Erscheinen sichert in diesem Fall nicht die besten Plätze, aber mit Gewißheit ein rasches und reibungsloses Durchkommen am Einlaß.
Nach der Veterinärkontrolle kommt der Aussteller dann meistens an einen Stand, an dem er seinen Katalog erhält. Diesen Katalog hat er bereits mit der Entrichtung des Meldegeldes bezahlt. Manchmal bekommt er auch einen Umschlag überreicht, in dem sich darüber hinaus noch die Startnummer des Hundes, eventuelle Hinweise, Gutscheine für Erinnerungsgaben oder Futterproben etc. befinden können. Von manchen Veranstaltern werden diese Dinge aber auch rechtzeitig vor der Ausstellung zusammen mit der Annahmebestätigung zugeschickt.

Der Katalog

Der Katalog gibt dem Aussteller über eine ganze Reihe wichtiger Fragen Auskunft. Er ist für den Ausstellungstag ein wichtiges Requisit.
Es beginnt damit, daß bei Internationalen Ausstellungen, die sich über mehrere Hallen erstrecken, im Katalog zu finden ist, wo sich die Ringe der jeweiligen Rassen befinden. Bei sehr ausgedehnten Ausstellungen wie Bundessieger- oder Europasiegerzuchtschau kann dies ein wertvoller Wegweiser im Labyrinth der Hallen sein. Oft sind da nämlich erhebliche Wege zurückzulegen, und dann ist es gut, wenn man sich mit Hund und all dem Gepäck vorher im Katalog kundig gemacht hat, wohin man zu gehen hat. Viele Klubs machen dann in den Hallen durch Transparente mit ihren Emblemen auf ihren Standort aufmerksam. Dies ist auch eine Hilfe und ein Service für Aussteller und Besucher, der sich noch weiter durchsetzen sollte; er kommt letztenendes auch der Selbstdarstellung eines Klubs zugute.
Der Katalog gibt ferner Auskunft über den genauen zeitlichen Ablauf der Ausstellung. Einlaß der Hunde, Beginn des Richtens, Pausen, Beginn der Zuchtgruppenwettbewerbe oder Vorstellung der Siegerhunde sind dem am Anfang des Katalogs abgedruckten Zeitplan zu entnehmen. Natürlich kennt der Aussteller den Termin »Beginn des Richtens« bereits aus der Ausschreibung für die Ausstellung, so daß er nicht etwa erst am Ausstellungstag vor der unangenehmen Überraschung steht, zu spät gekommen zu sein.

Bei den Internationalen Ausstellungen ist in diesem Zusammenhang immer auch der »Schluß der Ausstellung« angeführt. Dies geschieht mit gutem Grund, denn es hat sich unter den Ausstellern eine inzwischen weitverbreitete Unsitte eingebürgert, die Hallen möglichst vorzeitig zu verlassen. Das gilt vor allem dann, wenn der betreffende Hund sich nicht für eine Endkonkurrenz qualifizieren konnte. Natürlich ist dann die Versuchung groß, irgendwo ein Schlupfloch zu suchen, um eine vielleicht weite Heimreise ein paar Stunden früher antreten zu können. Manche Aussteller haben da geradezu Perfektion entwickelt: bereits beim Betreten der Halle am Morgen halten sie Ausschau nach den späteren »Fluchtwegen«.
Solches Verhalten ist indessen nicht nur unfair gegenüber allen anderen Ausstellern, die sich an die Spielregeln halten und das Ende der Schau für den Aufbruch abwarten. Es ist im hohen Maße auch unanständig gegenüber den zahlenden Besuchern, die vielleicht erst nach dem Mittagessen zu einem Gang durch die Hundeausstellung aufbrechen und, nachdem sie ein stattliches Eintrittsgeld entrichtet haben, vor leeren Boxen stehen. Die Schauleitungen ahnden solches Verhalten mit Recht sehr streng; dem ertappten Sünder droht sogar ein Ausstellungsverbot. Bei vielen Schauen wird übrigens schon in der Einladung darauf hingewiesen, daß derjenige, der seinen Hund vorzeitig von der Veranstaltung entfernen möchte, am besten gar nicht erst melden sollte. Im Ausland ist die Disziplin der Aussteller in diesem Punkt viel besser entwickelt als hierzulande; niemand käme dort auf die Idee, nach der Bewertung seines Hundes zu verschwinden.
Im Katalog sind dann die einzelnen Klassen aufgeführt, in denen die Hunde antreten. Im allgemeinen gilt, daß in der im Katalog niedergelegten Reihenfolge auch gerichtet wird. Das heißt also, daß derjenige Hund als erster in den Ring muß, der unter der angegebenen Rasse als erster aufgeführt ist – und so weiter. Der Aussteller muß also anhand seines Katalogs und unter gleichzeitiger Beobachtung der aufgerufenen Klassen verfolgen, wann sein Hund an der Reihe ist. Der Aussteller hat sogar die Pflicht, sich über den Fortgang des Richtens auf dem Laufenden zu halten. Nichts ist nämlich zeitraubender und für den Ablauf der Veranstaltung hinderlicher, als wenn die Ringhelfer nach Ausstellern suchen müssen, die sich irgendwo verplaudert haben und nicht bemerkten, daß sie eigentlich mit ihrem Hund »dran« wären. Das rechtzeitige Erscheinen im Ring gehört zu den Pflichten des Ausstellers, und er dürfte sich nicht einmal wundern, wenn seine Klasse ohne ihn gerichtet worden wäre, weil er nicht aufgepaßt hatte. Gleichwohl bemüht sich die Schauleitung immer wieder, fehlende Hunde noch in den Ring zu bringen, weil man dem Aussteller gegenüber gefällig sein will.
Im Katalog findet der Interessierte bei den Hunden eine ganze Reihe wichtiger Angaben: die Startnummer als erstes, den korrektf Namen, die Elterntiere, Zuchtbuchnummern und Wurfdaten, Züchter und Besitzer. Jeder Zuschauer

Richter und Ringpersonal.

kann sich also über jeden vorgestellten Hund ein genaues Bild machen, der Insider natürlich ein detaillierteres und von mehr Hintergrundwissen- und Interesse geprägtes, als der zufällige Besucher, der aber aufgrund der Katalogangaben vielleicht einen Zwingernamen findet, bei dem er sich selbst einmal nach einem Hund umsehen könnte – einfach, weil ihm der auf der Ausstellung Gesehene gefallen hat. Der Katalog als eine Sammlung von Visitenkarten der Hunde – dies ist eine keineswegs unwichtige Aufgabe.
Auf Internationalen Schauen erreicht der Katalog oft schon den Umfang eines dikken Buches; auf kleineren Schauen ist er oft weniger kunstvoll gestaltet, genügt aber dennoch den Wünschen, die Aussteller und Besucher zu Recht von ihm erwarten. Da genügen oft hektographierte Seiten, maschinengeschrieben und mit Klammern geheftet. Wichtig ist vor allem, daß die Angaben über die Hunde korrekt sind und bei späteren Nachforschungen sich die Namen und Daten als richtig erweisen.

Die Boxen

Mit Katalog und Unterlagen versehen, sucht der Aussteller schließlich die Box seines Hundes. Bisweilen leisten sich Schauleitungen den für Aussteller überaus angenehmen Luxus, schon am Eingang Lagepläne für Ringe und Boxen anzubringen. Dem reichlich bepackten Aussteller kann dies oft langwieriges und mühsames Suchen im Gewirr der Hallen mit den zahllosen Ständen und Geschäften vermeiden helfen. Da diese Freundlichkeit aber keineswegs immer anzutreffen ist, muß der Aussteller auch für diesen Teil seiner morgendlichen Unternehmung eine gewisse Zeit einkalkulieren, um rechtzeitig zum Beginn des Richtens am Ring anwesend zu sein.

Für den Ausstellungstag stellt die Box die Unterkunft des Hundes dar. Er soll sie nur verlassen in der Zeit, in der er gerichtet wird, und – selbstverständlich – zum

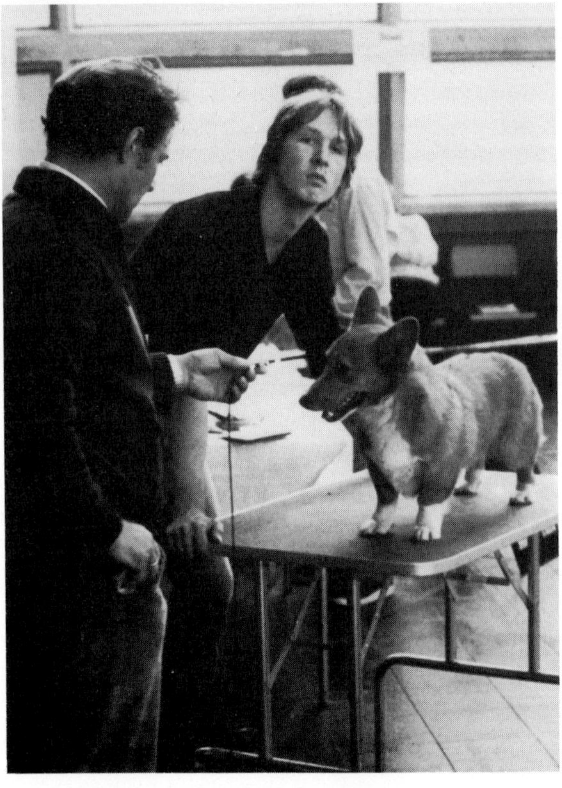

Richten auf dem Tisch.

Lösen. Man findet die richtige Box anhand der dort angebrachten Startnummer des Hundes, die dem Aussteller ja bereits bekannt ist. Auch dies läuft gelegentlich etwas zeitraubend ab, weil freundliche Zeitgenossen gern einmal die angebrachten Nummern vertauschen. Manchmal geschieht dies im übrigen gar nicht aus Böswilligkeit, sondern ganz einfach deswegen, weil ein Aussteller mehrere Hunde in verschiedene Klassen gemeldet hat, diese von den Startnummern her in auseinanderliegenden Boxen untergebracht wären, verständlicherweise aber zusammen oder zumindest nebeneinander gehalten werden sollen. So kann es schon vorkommen, daß die eigene Start- beziehungsweise Boxennummer nicht in der normalen Reihenfolge zu finden ist. Dies sollte kein Anlaß zu längeren Diskussionen sein, sondern von den Ausstellern ganz pragmatisch gehandhabt werden.
Die Box sollte für den Hund möglichst »wohnlich« eingerichtet werden. Zur Mindestausstattung gehört eine Decke, weil Hallenböden in aller Regel kalt sind. Immer wieder sind auf Ausstellungen in den Boxen jene bedauernswerten Hunde zu sehen, die ohne Unterlage, ohne Wassernapf und, vielleicht auch noch kurz angeleint, über viele Stunden allein in der Box zubringen müssen, derweil Herrchen oder Frauchen sich sonstwo amüsieren. Dies spricht nicht für Verständnis oder gar Zuneigung zu seinem Hund, hier wird der Hund zu einem bloßen Ausstellungsobjekt degradiert. Wer von seinem Hund am Ausstellungstag eine gute Leistung erwartet – und eine gute Präsentation ist eine Leistung! –, muß ihm die meist ungewohnte und unsympathische Umgebung so angenehm wie möglich machen. Oft ist der Hund auch höchst zufrieden, wenn in seiner Box persönliche Dinge wie Taschen, Beutel oder ähnliches aufbewahrt werden; er hat dann ein Stück vertrauten Besitzes bei sich, das ihn die Aufregungen des Tages viel gelassener ertragen läßt. Der Aussteller selbst ist gut beraten, wenn er sich mit einer leicht transportablen Sitzgelegenheit ausrüstet, die er dann vor der Box aufstellt. So läßt sich die Wartezeit bis zum Auftritt im Ring oder später bis zum Ende der Veranstaltung erheblich leichter überstehen. Für den Hund ist es im Gewühl einer Internationalen Ausstellung in jedem Fall eine Beruhigung, wenn Herrchen oder Frauchen nahe bei ihm sind, ihn hin und wieder mit Wasser oder Futter versorgen, ihn auch auf dem vorgesehenen Löseplatz laufen lassen und sich immer wieder mit ihm befassen. Gerade für junge und noch ausstellungsungewohnte Hunde ist eine solche Veranstaltung nämlich durchaus eine nervliche Strapaze.

Vor dem Richten

Konzentration auf den Hund, Vorbereitung auf den Auftritt im Ring, Sich-Einfühlen in den Hund – dies sind zu Beginn des Ausstellungstages dann die wichtigsten Pflichten des sich sorgfältig verhaltenden Ausstellers. Hunde sind gottlob

keine Maschinen, sie funktionieren nicht auf Knopfdruck. Deswegen ist es sinnvoll und wichtig, den Hund auf das, was dann auf ihn zukommt, vorzubereiten. Jeder Sportler weiß, daß er nicht »kalt« in einen Wettkampf gehen darf. Er muß sich warmlaufen, lockern, auf seinen Start so vorbereiten, daß er im richtigen Augenblick topfit ist.
Ähnlich und im übertragenen Sinne gilt dies auch für den Start des Hundes im Ring. Er soll sich dort auch topfit präsentieren, er soll, um in der Sportlersprache zu bleiben, im richtigen Moment »explodieren«.
Dazu gehört beispielsweise, daß man dem Hund Gelegenheit gibt, sich auf den jeweiligen Boden einzustellen. Es gibt Hallen, in denen der Bodenbelag spiegelblanken Glatteisflächen gleicht. Dort haben es die Hunde selbstverständlich unerhört schwer, sich in der Aktion voll zu entfalten. Sie treten vorsichtiger und damit meist kürzer, sie wirken staksig, verspannt und verkrampft, die Außenlinie verschlechtert sich zwangsläufig. Wenn der Hund ausreichend Gelegenheit hatte, sich auf solchem Boden einzulaufen, wird er sich auf glattem Boden zwar auch nicht optimal bewegen, aber doch schon so viel Sicherheit gewonnen haben, daß er nicht allzu wackelig wirkt. Mit Gewißheit wird sich dieser Hund gegenüber seinem nicht-eingeübten Konkurrenten besser in Szene setzen können.
Solcherart Einlaufen empfiehlt sich im übrigen auch, wenn die Ausstellung auf einem Freigelände, insbesondere auf Rasen, stattfindet. Vor allem die Besitzer feinnasiger Jagdhunde wissen ein Lied davon zu singen, wie schwer es dann oft wird, beim Vorführen den Kopf des Hundes vom Boden wegzubringen. Ausführliches »Einriechen«-lassen kann auch hier gute Erfolge bringen.
Niemals wird sich im Ring ein Hund sehr frei zeigen, der bis unmittelbar vor seinem Auftritt in der Box gelegen hat und sich längere Zeit nicht bewegen konnte. Ein solcher Hund wirkt entweder träge und müde, oder aber er hat einen so grossen Bewegungsdrang, daß er kaum unter Kontrolle zu bringen ist. Der Aussteller darf sich nicht wundern, wenn der Hund bei der so wichtigen Beurteilung des Gangwerkes und der Bewegung keine Pluspunkte sammeln kann.

Nervliche Belastung

Ganz besonders für noch nicht so routinierte Hunde können große Ausstellungen in Hallen zu einer nervlichen Belastung werden. Der Geräuschpegel ist dort in der Tat selbst für Menschenohren beträchtlich – um wieviel mehr müssen übersteuerte Lautsprecherdurchsagen, das Gebell aus vielen hundert Hundekehlen und das Stimmengewirr der Besucher auf den Hund wirken. Auch die räumliche Enge ist oft erschreckend. Dies alles muß der Hund erst einmal kennenlernen, er muß daran gewöhnt werden. Je mehr Einfühlungsvermögen der Aussteller dabei auf-

bringt, desto vertrauter und gefestigter wird sein Hund in die Prüfung dieses Tages gehen.
Aussteller und Hund sollen zu einem Team werden, das optimal aufeinander abgestimmt und eingestellt ist. Bald wird der Hund nämlich genau wissen, worauf es an diesem Tag ankommt, was er tun soll und vor allem, wann er es soll. Es gibt Hunde, die mögen an bestimmten Tagen überhaupt nicht laufen – sei es, daß es ihnen zu heiß ist, sei es, daß sie müde sind. Solche Hunde können, wenn sie die entsprechende Routine erworben haben, für die Dauer der Vorführung im Ring zu völlig anderen Hunden werden, so als ob sie quasi durch die Vorführleine hindurch den Kontakt zu ihrem Führer herzustellen in der Lage wären und wüßten, worauf es in diesen Minuten ankommt.

Freies Stellen.

Bis solche Zusammenarbeit entsteht, dauert es natürlich einige Zeit. Vor allem ist dafür das Bemühen des Ausstellers um seinen Hund notwendig. Je intensiver er sich auf der Ausstellung mit seinem Hund beschäftigt, je mehr er den Lernprozeß des Hundes fördert, desto früher wird er zu dem beschriebenen Ergebnis kommen können.

Die Vorführung im Ring selbst erfordert in aller Regel keinerlei Hilfsmittel, wenn man davon absieht, daß bei den meisten Rassen die Vorführleine verwendet wird. Diese besteht aus einem leinenartigen Material. Über die Vor- und Nachteile bestimmter Farben ist bereits an anderer Stelle geschrieben worden. Wie auch schon gesagt wurde, handelt es sich dabei um Feinheiten, die zum großen Einmaleins des Ausstellens gehören und nicht zu den Dingen, die man als Anfänger zu beachten hätte. Hier ist es erst einmal wichtig zu wissen, daß man im Ring nicht mit einem schweren Leder- oder Metallhalsband erscheinen sollte, zumindest dann nicht, wenn es sich um mittlere oder kleinere Hunde handelt.

Wann der Hund im Ring erscheinen muß, ist fast immer auf der dort aufgestellten Tafel zu erkennen. Dort stehen nämlich die Startnummern derjenigen Hunde geschrieben, die gerade zur Beurteilung im Ring sind oder gerade aufgerufen wurden. Hinter den Startnummern wird anschließend auch das Ergebnis des Richtens, der »Formwert«, veröffentlicht. Aussteller und Publikum erfahren auf diese Weise, wie jeder Hund abgeschnitten hat.

Mit dem Aufruf an der Tafel (bei kleineren Ausstellungen kann das auch über eine Mikrofondurchsage erfolgen) versammelt sich also die jeweilige Klasse im Ring. In der Reihenfolge der sichtbar zu tragenden Startnummern stellen und reihen sich die Aussteller mit ihren Hunden auf. Dabei führt man den Hund generell mit der linken Hand. Nach einem ersten, vorläufigen »Aufbauen« oder Aufstellen der Hunde können sie sich oft bei einigen vom Richter gewünschten Runden im Ring akklimatisieren. Die Hunde können sich ein wenig lockern und vermitteln zugleich dem Richter einen ersten Eindruck über die Qualität ihres Gangwerks.

Später folgt dann bei jedem Hund die Detail-Kontrolle, über die im nächsten Kapitel ausführlich die Rede sein wird. Haben alle Hunde der Klasse die Prozedur überstanden, und sind die Klassensieger ermittelt, ist für alle Hunde, die nicht in der späteren Endkonkurrenz erscheinen müssen, der Ausstellungstag praktisch zu Ende. Bei Spezialzuchtschauen verläuft dann das Abwandern viel unkomplizierter und nahezu familiärer als bei den Internationalen Ausstellungen, wo mit dem offiziellen Schluß der Veranstaltung der große Ansturm auf die Parkplätze vor Beginn der Heimreise einsetzt.

Für manchen Aussteller ist die Heimreise noch einmal mit einer Übernachtung verbunden. Alles das kostet inzwischen viel Geld – vom Engagement, vom Opfer an Freizeit gar nicht zu sprechen. Aber für viele ist eben gerade das Ausstellen sinnvoll verbrachte Freizeit. Die Ausstellungen aller Klubs und Vereine von Husum bis Konstanz leben von dieser Begeisterung professioneller und nichtprofessioneller Aussteller – wobei professionell in diesem Zusammenhang nicht bedeutet, daß jemand hier zu Reichtümern oder überhaupt zu Geld kommen könnte, im Gegenteil. Ob sie wiederkommen zu einer der vielen Ausstellungen, die fast an jedem Wochenende stattfinden, hängt nicht zuletzt auch von denen ab, die das Zuchtschaugeschehen in ganz wesentlichem Maße prägen: den Richtern.

Der Richter und das Richten

Vom Richter, seinem Amt und seiner Bedeutung im Hundewesen und vom Richten insgesamt muß in diesem Zusammenhang sehr ausführlich die Rede sein. In der »Zuchtrichter-Ordnung« des VDH, die für sämtliche Ausstellungen und für alle Richter maßgebend ist, steht über den Richter am Beginn folgendes: »Der Richterstand bildet eine der wichtigsten Säulen des gesamten Hundewesens. Von seinen Leistungen, seinen fachlichen Fähigkeiten, seiner charakterlichen Zuverlässigkeit und seiner vorbildlichen Haltung auf allen Gebieten des sportlichen und privaten Lebens hängen Bestand und Weiterentwicklung der Rassezucht, des Leistungswesens und nicht zuletzt des Ansehens aller kynologischen Bestrebungen in der Öffentlichkeit ab. Die Richter haben im Hundewesen eine sachlich schwierige und persönlich verantwortungsvolle Aufgabe, der sie nur gerecht werden können, wenn sie für ihr Ehrenamt nicht nur gediegene Fachkenntnis, sondern hohe geistige und charakterliche Persönlichkeitswerte besitzen.«
Dies sind hohe Anforderungen, und tatsächlich zeigt sich, daß die einzelnen Vereine den Maßstab sehr streng anlegen, wenn es um die Heranbildung neuer Richter geht. Man unterscheidet Spezialrichter, Gruppenrichter, Allgemeinrichter und Zuchtgruppenrichter. Bei den meisten Klubs sind Spezialrichter im Einsatz, also solche, die von den zuständigen Rassehundezuchtvereinen dem VDH als ernannt gemeldet werden. Solche Spezialrichter haben, wie der Name es ausdrückt, spezielle Kenntnisse aufgrund einer besonderen Ausbildung für ihre Rasse. Gruppenrichter sind berechtigt, eine oder mehrere aufgrund der FCI-Einteilung festgelegte Gruppen zu richten. Die Allgemeinrichter, auch »Allrounder« genannt, kommen insbesondere auf Internationalen Schauen zum Einsatz, und zwar bei weniger bekannten und verbreiteten Rassen, deren Klubs sich keine Spezialrichter leisten können. Allrounder müssen nicht nur eine wenigstens fünfjährige Tätigkeit als Spezialrichter nachweisen, sondern auch genaue Kenntnisse des gesamten Hundewesens und der in Frage kommenden Rassen einschließlich der bei der FCI hinterlegten Standards. Zuchtgruppenrichter schließlich haben die Aufgabe, am Ende einer Internationalen Ausstellung den Zuchtgruppenwettbewerb zu richten. Auch sie werden bei »Internationalen« jeweils vom VDH ernannt.

Die Ausbildung

Die Richter sind vorrangig verantwortlich für die Qualität einer Rasse, und das nicht nur mit Blick auf den Phänotyp, sondern auch mit Blick auf den Genotyp. Weil das aber so ist, muß der Richter neben einem guten Auge – was vielleicht die wichtigste Voraussetzung überhaupt ist! – auch detaillierte Kenntnisse theoretischer Art haben. Viele Rassehundezuchtvereine haben daher die Ausbildung ihrer Richter so angelegt, daß sie im Laufe ihrer »Anwärterzeit« sowohl die Theorie als auch die Praxis lernen müssen.

Als Beispiel sei die Ausbildung des Richters im Jagdspaniel-Klub zitiert, die mit dem Verfahren bei manchen anderen Klubs vergleichbar ist.

Zunächst muß der Richteranwärter wenigstens fünf Jahre Mitglied im Klub sein. Er soll ferner Erfahrung als Züchter haben, bevor er durch den Präsidenten des Klubs zum Anwärter ernannt wird. Sodann muß er mindestens fünfmal auf Schauen als Anwärter tätig werden. Dabei hat er die gezeigten Hunde selbständig zu beurteilen und einen Bericht darüber zu verfassen, den der amtierende Richter mit seinem eigenen vergleicht. Nach einer gewissen Zeit muß er eine Prüfung ablegen, die aus einem praktisch-mündlichen Teil und einem schriftlichen Teil besteht. Bei der praktisch-mündlichen Prüfung muß der Anwärter bis zu zwölf Spaniels vor der Richterkommission besprechen und beurteilen. In der schriftlichen Prüfung hat er insgesamt 100 Fragen aus den Gebieten Standards, Zucht, Vererbung, Anatomie und Physiologie sowie Reglements und allgemeine Richterfragen zu beantworten. 75 Prozent der Fragen aus jedem Bereich müssen richtig beantwortet werden.

Aus dieser kurzen Schilderung des Ausbildungswegs eines Richters im Jagdspaniel-Klub wird deutlich, daß sich ein Bewerber intensiv mit der Sache beschäftigen muß und daß er die Ernennung zum Richter keineswegs geschenkt bekommt. Natürlich gibt es auch Vereine, die glauben, ohne eine solche Richterprüfung auskommen zu können. Immer mehr setzt sich aber bei allen Klubs die Erkenntnis durch, daß nur ein gut ausgebildeter und intensiv vorbereiteter Richter der Verantwortung seiner Rasse gegenüber in allen Belangen gerecht werden kann.

Später im Ring steht der Richter allein mit seiner Verantwortung. Weil das so ist, muß die Richterausbildung und schließlich auch die Ernennung nach Möglichkeit die ureigene Angelegenheit der Rassehundezuchtvereine sein und bleiben. Verantwortungsvolle Züchter tun viel für das Wohl einer Rasse. Noch mehr aber bewirken die Richter, und deswegen müssen sie die von ihnen gerichteten Hunde in allen Nuancen und Einzelheiten des Standards kennen. Sie müssen wissen, wie der gegenwärtige Stand der Zucht ist, welche Fehler sich eingeschlichen haben, welche Mängel vielleicht sogar schon genetisch gefestigt sind. Dies weiß der Richter nur, wenn er sich sehr intensiv und kontinuierlich mit seiner Rasse beschäftigt, wenn er sich fortbildet und praktisch wie theoretisch auf dem laufenden bleibt. Deswegen ist für die Beurteilung einer Rasse auch immer ein Spezialrichter besser; bei ihm ist nämlich das Wissen über die Entwicklung und den Stand der Zucht eher zu erwarten als beim Allgemeinrichter, der zwar den Standard kennt, aber nicht immer die aktuellen Probleme der Rasse.

Autorität

Daher muß der Richter immer Autorität sein, und zwar im Sinne seines Verantwortungsbewußtseins, seines Wissens und Könnens und schließlich auch im Sinne

Es geht um die Wurst.

seines souveränen Auftretens im Ring. Ohne Zweifel hat der amtierende Richter im Ring eine gewisse Macht; von ihr sollte er aber zurückhaltend und maßvoll Gebrauch machen. Es ist niemandem und schon gar nicht der Rasse gedient, wenn sich der Richter bei der Bewertung selbstherrlich oder überheblich gebärdet. Leicht sind dann Fehlurteile nach oben wie nach unten ausgesprochen, die eventuell schlimme Folgen haben können. Unbestechlichkeit (der Hund wird beurteilt, und nicht die Person, die ihn vorführt!), Sachlichkeit, keine Emotionen, Gerechtigkeit und Lauterkeit – dies sind neben den selbstverständlichen fachlichen Voraussetzungen diejenigen Eigenschaften, die in der Person des Richters für Aussteller und Zuschauer jederzeit erkennbar sein müssen.

Ein Richter sollte seine Aufgabe nicht darin sehen, Hunde »hinzurichten«; allzu strenge, kleinliche Urteile sind der Rasse genauso wenig dienlich, wie Gefälligkeitsurteile. Ein Richter sollte weder für das eine, noch für das andere bekannt sein, aber er sollte bekannt für seine sachlich begründeten, gerechten Wertungen sein. Wenn sich das bei den Ausstellern herumgesprochen hat, dann besitzt der Richter jene selbstverständliche Autorität, ohne die er sein wichtiges Amt auf die Dauer nicht hinreichend ausfüllen kann.

So darf beispielsweise ein Richter nicht von vornherein beim Hund nur Fehler suchen und sein Urteil schließlich mit der Summe der gefundenen Fehler begründen. Es gibt keinen fehlerfreien Hund, und wer nur nach Fehlern sucht, der wird auch welche finden. Nur kann dies nicht der Sinn des Richtens sein.

Vielmehr geht es dem verantwortungsvollen Richter darum, zunächst einmal den ganzen Hund zu sehen, seine Harmonie und seinen Typ. Er sucht also zunächst einmal die Qualitäten. Hat der Hund dann eklatante Mängel, werden sich diese ohnehin auf die Bewertung auswirken. Bandel hat sicher recht, wenn er schreibt, daß derjenige Richter ein kleinlicher Bürokrat sei, »dem jeder ästhetische Sinn für die Herrlichkeiten der Schöpfung abgeht und der unfähig ist, das Schöne zu sehen.« Das bedeutet natürlich nicht, daß der Richter gravierende Fehler übersehen soll oder daß er die vom Standard seiner Rasse vorgegebenen Punkte nicht beachten sollte. Dies wäre umgekehrt genau so falsch. Fehler erkennen und zugleich nicht das Positive übersehen: mit dieser Einstellung kommt der Richter am ehesten zu einem gerechten Urteil.

Der Standard

Grundlage des Richtens muß immer der jeweilige Rassestandard sein. In ihm ist alles festgelegt, was das typische Bild und die typische Erscheinung des Hundes ausmachen. Dieser Standard hat offiziellen Charakter, er gilt für die Rasse in allen Ländern. Er wird für jede Rasse in deren Herkunftsland erarbeitet und dann der

FCI vorgelegt. Nach der endgültigen Beurteilung durch die FCI wird der Standard offiziell anerkannt. Zugleich wird von der FCI das Ursprungsland der Rasse bestimmt, das damit das Recht erhält, eventuelle spätere Änderungen dieser offiziellen Rassebeschreibung zu beantragen.
Der Standard, der im übrigen jedem Interessierten leicht zugänglich ist, beschreibt also das Idealbild der Rasse. Dies geschieht in unterschiedlicher Ausführlichkeit; die Standards sind unterschiedlich detailliert, beschreiben aber fast immer auch diejenigen Fehler, die man bei der Rasse nicht sehen möchte. So ist der Standard nicht nur Maßstab für den Richter bei der Beurteilung der Hunde, sondern auch Anleitung für den Züchter. Innerhalb des vom Standard vorgegebenen Rahmens hat sich der Richter bei seiner Tätigkeit zu bewegen. Dabei steht er immer wieder vor Schwierigkeiten, etwa wenn es darum geht, wie gravierend er einen im Standard vermerkten Fehler ahndet, wenn der Hund gleichzeitig wieder viele besondere Pluspunkte aufweist. Was ist beispielsweise noch ein verzeihlicher Mangel, den der Richter zwar nicht übersehen, aber vielleicht noch tolerieren kann, und

 Vor der Preisverteilung.

wann beginnt es ein Fehler zu sein, der im Interesse der Zucht nicht mehr akzeptiert werden kann? In solchen Fällen – und das sind im Ring die häufigsten! – muß der Richter aufgrund seines Wissens, seiner Kenntnisse über die Zucht, aber auch aufgrund seiner Erfahrung rasch entscheiden. Wenn er lange zögert und immer noch nicht zu einer Entscheidung kommt, wird er den Zeitplan alsbald gehörig durcheinander bringen. Namentlich auf Internationalen Schauen ist dies ein immer wieder zu beobachtendes Ärgernis. Da haben anderswo schon Zuchtgruppenwettbewerb oder Vorstellung der Siegerhunde begonnen, und in einzelnen Ringen finden Richter immer noch kein Ende.

Das Richten

Nachdem nun ausführlich über Person und Amt des Richters berichtet wurde, muß auch von der Richtertätigkeit im Ring geschrieben werden.
Wenn sich die Klasse vollzählig im Ring versammelt hat (Nachzügler können durchaus von der Schauleitung gerufen werden), verschafft sich der Richter meist einen ersten vorläufigen Eindruck über die Hunde. Sie stehen dann in der Reihenfolge der Startnummern in einer Linie oder in einem großen Kreis, und die Aussteller sind gut beraten, wenn sie schon zu diesem Zeitpunkt ihren Hund möglichst vorteilhaft zur Geltung bringen können. Oft betrachtet sich der Richter nämlich die Klasse so, daß er bereits eine allererste, keineswegs endgültige Auswahl trifft. Aber es ist sicher einzusehen, daß ein Hund, der seine Vorzüge von Anfang an zeigt, mehr Eindruck beim Richter hinterläßt, als ein anderer, der desinteressiert oder krumm herumsteht. Wenn es die Ringgröße erlaubt, läßt der Richter die ganze Klasse dann erst einmal im Kreis traben. Auch dies verschafft ihm einen ersten Eindruck, es wird ihm der eine mehr und der andere weniger durch seine Bewegung auffallen. Gleichzeitig gibt dieses erste Laufen im Ring den Hunden Gelegenheit, sich zu akklimatisieren und mit den Gegebenheiten vertraut zu machen. Bei diesem ersten Laufen in der größeren Gruppe sollte der Aussteller immer einen Abstand zu seinem Vordermann einhalten. Einmal läuft man so unbehindert, und zum anderen kann man den eigenen Hund besser zur Geltung bringen, als wenn er praktisch neben einem anderen Konkurrenten läuft. Noch einmal sei daran erinnert, daß das Laufen immer im umgekehrten Uhrzeigersinn vor sich geht, der Hund also mit der linken Hand geführt wird. Bei sehr großen Klassen kann es auch vorkommen, daß der Richter noch einmal unterteilt. Auf die spätere Plazierung hat das natürlich keinen Einfluß. Der Aussteller kann aber davon ausgehen, daß deutliche Bewegungsmängel, Fehler in der Rutenhaltung oder ähnliches dem Richter schon bei dieser ersten Orientierung auffallen.

Die Einzelbeurteilung

Ist dies abgeschlossen, folgt die Einzelbewertung der Hunde. Bei kleineren und auch bei manchen mittelgroßen Rassen wird der Hund dem Richter auf einem Tisch vorgestellt. Nun kann es sein, daß ein Hund kurz vor der Ausstellung bei einem Tierarzt war und auf dem Behandlungstisch vielleicht schmerzliche Erfahrungen gemacht hat. Dies kann, muß aber nicht, Nachwirkungen dergestalt haben, daß sich der Hund auf dem Tisch verkrampft, daß er partout nicht auf diesem Tisch stehen will. Kein Richter wird dann darauf beharren, den Hund unbedingt auf dem Tisch beurteilen zu wollen. Er wird auf einen entsprechenden Hinweis des Ausstellers bereit sein, den Hund auf dem Boden zu prüfen. Läßt er sich dann auch nicht anfassen, hat es meist andere Gründe als den Tierarzt. Es empfiehlt sich also für den Aussteller unter allen Umständen, das Stellen auf dem Tisch vorher zu Hause intensiv zu üben. Es kommt ihm am Ausstellungstag für den gesamten Eindruck zugute. Dieses Problem entfällt natürlich bei den großen Rassen; dort muß der Richter allerdings auch nicht über Stunden hinweg parterre arbeiten!
Auf dem Tisch prüft der Richter unter anderem die Zähne. In allen Standards sind die jeweiligen Gebißformen genannt. Meistens wird das Scherengebiß gefordert, diejenige Gebißform also, bei der die Kronen der oberen Schneidezähne die der unteren leicht überdecken, ohne daß der Kontakt zwischen oberen und unteren Schneidezähnen verlorenginge. Das Zangengebiß, das auch bei einigen Rassen toleriert wird, bedeutet, daß die Kronen der oberen und der unteren Schneidezähne aufeinanderliegen, also eine Zange bilden. Es würde hier zu weit führen, aufzuzählen, welche Gebißform bei welcher Rasse gewünscht ist. Auskunft geben in jedem Fall die Rassestandards. Es sei jedoch erwähnt, daß Vor- und Rückbiß bei den meisten Rassen ein zuchtausschließender Fehler ist. Generell hat das fertige Hundegebiß 42 Zähne, und zwar im Oberkiefer: sechs Schneidezähne, zwei Fangzähne (auch Eckzähne genannt), vier vordere und zwei hintere Backenzähne (Prämolaren und Molaren). Im Unterkiefer stehen: ebenfalls sechs Schneidezähne, zwei Fangzähne, vier vordere und drei hintere Backenzähne. 42 Zähne sind die Norm; jede Abweichung (die häufigsten sind Prämolaren-Über- oder -Unterzahl) ist auch nach einem neuen Beschluß der FCI ein Fehler. Dieser Fehler wird von den Rassehundezuchtvereinen je nach Grad und Schwere unterschiedlich geahndet. In manchen Vereinen schließt ein Zahnfehler den höchsten Formwert aus, in manchen Klubs ist man wiederum vor allem in der Frage der Prämolaren großzügiger. Schwere Fehler sind dagegen Kiefer-Anomalien; sie sind vererblich und können zur Degeneration einer Rasse führen. Sie werden auch immer streng bestraft.

Bei der Detail-Prüfung – ob nun auf dem Tisch oder auf dem Boden – kontrolliert der Richter bei den Rüden, ob sie zwei normal entwickelte Hoden haben. Das

Fehlen eines oder beider Hoden oder auch eine Hodenatrophie sind zuchtausschließende Fehler.
Ferner geht es in diesem Teil der Beurteilung um die Knochenstärke, die Substanz, die Ausformung des Brustkorbes, die Gebäudetiefe, die Winkelungen in der Vor- und Hinterhand, die Schulterblattlage, die Widerristlage oder um die Länge des Oberarms. Auch die Festigkeit der Pfoten und der Gelenke wird jetzt vom Richter auf das genaueste untersucht. Die Kontrolle der Augen – bei vielen Rassen sind lose Augenlider verpöhnt, das »offene Auge« ist meist ein schwerer Fehler – erfolgt ebenfalls in diesem Teil der Bewertung. Bei Rassen, bei denen das Haarkleid für die Beurteilung eine Rolle spielt, wird jetzt die Textur des Haares geprüft, auch, ob der Hund etwa unsachgemäß im Haarkleid bearbeitet wurde.

Stimmt die Anatomie?

Bei dieser Einzelkontrolle erkennt der Richter sehr schnell, ob die Erwartungen in Erfüllung gegangen sind, die beim ersten Sehen der Hunde im Ring vielleicht entstanden sind. Vor allem die anatomischen Einzelheiten werden dem geübten Richter jetzt sofort offenbar.
Anschließend folgt die überaus wichtige Beurteilung des Gangwerkes. Spätestens jetzt werden alle anatomischen Defekte oder Mängel des Hundes deutlich. Viele Richter lassen den Hund nun wieder im Kreis laufen, manche lassen ihn im Dreieck laufen. Das Dreieck hat den Vorteil, daß der Richter den Hund im Gehen, von der Seite und im Kommen sehen kann, und alle drei Phasen sind ja für die Bewertung des Gangwerks wichtig. Ganz besonders die Richter von Gebrauchshund- oder Jagdhundrassen halten sich oft lange bei der Bewegungsprüfung auf, und zwar deswegen, weil die Standards dieser Rassen eine ausdauernde, korrekte Bewegung zur Erfüllung der von diesen Hunden geforderten Aufgaben verlangen. Im Gehen, das heißt von hinten gesehen, erkennt der Richter, ob der Hund seine Hinterläufe senkrecht parallel bewegt, wie das meistens gefordert wird. Fehler sind zum Beispiel hackenenges Laufen (die Hinterläufe bewegen sich von den Sprunggelenken abwärts zu eng), kuhhessiges Laufen (die Sprunggelenke werden nach auswärts gedreht) oder auswärts gedrehte Pfoten. Alle diese Fehler gehen auf

 Die Entscheidung steht bevor.

eine anatomisch nicht korrekte Stellung der Hinterläufe zurück. Von der Seite sieht der Richter, ob der Hund eine aktive Hinterhand hat (sie ist ja der Sitz der Bewegung beim Hund!), ob er also Schub entwickelt und genügend weit unter den Körper tritt. Bei allen Rassen, bei denen eine straffe oder sogar eine leicht abfallende Rückenlinie gefordert wird, kann sie der Richter allein in der Bewegung und von der Seite zweifelsfrei erkennen. Hier sieht er, ob hinter dem Widerrist ein Knick im Rücken entsteht, ob der Hund den Rücken aus welchen Gründen auch immer zieht (man spricht auch vom Karpfenrücken), und er sieht schließlich auch, wie er seine Vordergliedmaßen bewegt. Die Hunde sollen einen raumgreifenden Vortritt zeigen. Das können sie aber nur, wenn bei einer schräg gelagerten Schulter ein Winkel von rund 90 Grad zum richtig langen Oberarm gebildet wird. Dann kann der Hund den Vorderlauf frei nach vorn bringen. Ist der Winkel zu offen, die Winkelung also zu »steil«, und der Oberarm zu kurz, kann der Hund die Vorderläufe nicht genügend nach vorn bringen, die Bewegung wird abgebrochen, und es entsteht das unschöne Trippeln oder Steppen. Kein Aussteller sollte die Bedeutung des korrekten Gangwerks unterschätzen. Es ist bei der Beurteilung des Hundes manchmal mehr entscheidend, als der eine oder andere Schönheitsfehler im kleinen.

Von vorn, also im Kommen, erkennt der Richter nun noch, ob der Hund die Läufe richtig parallel nebeneinander setzt, ob er faßbeinig (man könnte auch sagen O-beinig) oder pfoteneng läuft. Auch diese Fehler gehen auf anatomische Mängel zurück, ebenso wie das öfter beschriebene lose Vorderfußwurzelgelenk.

Um all dies zu sehen, zu erkennen und für sein späteres Urteil zu gewichten, hat der Richter nicht viel Zeit. Er kann natürlich einen Hund mehrmals im Kreis oder im Dreieck laufen lassen, wenn ein Fehler nur sporadisch oder nicht ganz deutlich auftritt oder aber, wenn der Hund während der Bewegung immer freier und entspannter und damit besser wird. Einmal mehr Laufen ist jedenfalls für das gerechte Urteil besser, als einmal zu wenig. Meist beansprucht das Laufen auch den Aussteller erheblich mehr als den Hund, und der Hinweis des keuchenden Führers auf den »armen Hund« meint in Wahrheit meist ihn selbst. Es muß noch einmal darauf hingewiesen werden, daß bei sehr vielen Rassen die Bewegung ein Kriterium ist, das den Formwert ganz entscheidend beeinflußt. Oft sind Stand und Bewegung eines Hundes zwei Welten; der prächtig aufgebaute Hund fällt bisweilen in der Bewegung völlig in sich zusammen, und es bleibt wenig von der vorher gezeigten Pracht. Andererseits gibt es auch Hunde, die entfalten erst beim Laufen ihre Qualitäten. Sie zeigen erst dann, was in ihnen steckt und sammeln dabei entscheidende Pluspunkte.

Wenn das Einzel-Laufen nach ein paar Minuten überstanden ist, will der Richter den Hund noch einmal im Stand und im Zusammenhang sehen. Nun summiert er die Eindrücke, die er zuvor in der Detailkontrolle und im Laufen gewonnen hat; das Ergebnis diktiert er dann in den Richterbericht. Es kann nicht schaden, wenn der Aussteller dieses letzte Hinstellen während der Einzelbewertung noch einmal ernst nimmt. Zweifellos kann hier noch einmal ein guter Eindruck hinterlassen werden, der sich möglicherweise in der Plazierung am Ende auswirkt.

Die Plazierung

Diese Plazierung erfolgt, wenn alle Hunde der Klasse gerichtet worden sind und der Richter nun vor der oft sehr schweren Aufgabe steht, aus einer Reihe schöner Hunde die vier schönsten zu ermitteln. Hierbei können oft Kleinigkeiten, die dem Zuschauer aus der Entfernung überhaupt nicht aufgefallen sind, eine Rolle spielen. Eine unpigmentierte Nickhaut vielleicht, die kein gravierender Fehler ist, aber doch den Ausdruck stören kann, eine regelmäßigere Zeichnung oder ähnliches. Bei den Besten geht es schließlich oft nur um Nuancen und Details – sonst wären sie nicht die Besten! Über die Formwerte wird im einzelnen noch zu schreiben sein. In diesem Zusammenhang sei gesagt, daß für die Plazierung nur Hunde mit den Formwerten »Vorzüglich« oder »Sehr gut« infrage kommen. Der Richter kann sich also beispielsweise für die Reihenfolge V 1, V 2, V 3, Sg 4 entscheiden, er

Kontrolle der Hinterhand.

VDH

XVI. Internationale Zuchtschau für Hunde aller Rassen Berlin 26./27. März 1977

Bewertungskarte

Katalog-Nr. 909

Klasse:

- [x] Offene Klasse
- [ ] Gebrauchshunde-Klasse
- [ ] Jüngsten-Klasse
- [ ] Jugend-Klasse
- [ ] Junghund-Klasse
- [ ] Sieger-Klasse
- [ ] Ehren-Klasse

Der Hund erhielt folgende Bewertung:

Vorzüglich	Sehr gut	Gut	Genügend
I			

26.3.77
Datum

Unterschrift des Richters

kann nur ein V vergeben, so daß nach dem V 1 das Sg 2 und so weiter folgt, oder er kann gar kein V vergeben, so daß der Klassensieger Sg 1 erhält. Der Formwert »Gut« kommt nicht in die Plazierungen, es gäbe also, falls der Richter nur Sg 1 und Sg 2 vergibt, dann kein g 3. Bis die vier Ersten auf ihren Plätzen stehen, kann durchaus noch einmal einige Zeit vergehen, und zwar dann, wenn sich der Richter ganz und gar noch nicht schlüssig ist, wen er »vorn« haben will. Dann läßt er die Kandidaten meist noch einmal einzeln und zusammen laufen und entscheidet nach dem direkten Vergleich der Hunde in der Bewegung. Das geschieht, wie gesagt, recht häufig. Oft macht es eine Konkurrenz vor allem auch für die Zuschauer noch einmal besonders spannend.

Wenn der Richter eine Klasse mit zwanzig oder mehr Hunden zu Ende gerichtet hat, wird er sich hinterher immer wieder einmal fragen, ob er schließlich richtig plaziert hat oder ob vielleicht doch ein anderer an erster Stelle hätte stehen können. Ohne Zweifel ist die Entscheidung über den Sieg – und damit über einen eventuellen Titel oder zumindest eine Anwartschaft darauf – immer schwer. Aber der Richter muß sich entscheiden, und zwar in relativ kurzer Zeit. Die Aussteller sollten auch dies bedenken, wenn sie einmal der Meinung sein sollten, der Richter habe daneben gegriffen. Das Urteil des Richters ist nach der VDH-Zuchtschauordnung unantastbar und endgültig. Daher bringt es überhaupt nichts, seinem Unmut oder seiner Enttäuschung hinterher mit Beschimpfungen oder Beleidigungen Luft machen zu wollen. Solches Verhalten schadet allenfalls dem veranstaltenden Verein. Hundeführer, die sich in dieser Weise »daneben« benehmen, müssen daher mit Strafen vom Verein rechnen. Sie reichen vom befristeten Ausstellungsverbot bis zum Ausschluß in besonders gravierenden Fällen.

Der Richterbericht

Vom Richterbericht war kurz schon die Rede. Er hat nicht nur für den einzelnen Aussteller, sondern auch für Züchter und Richter eine große Bedeutung. Die Ausstellungsberichte sind eine Dokumentation über die dort gezeigten Hunde mit genauen Beschreibungen ihrer Vorzüge und ihrer Schwächen. So ist für den Fachmann zu erkennen, welche Merkmale eines Hundes sich an die Nachkommen vererben, wie stark sich beispielsweise ein Rüde in seinem Typ durchsetzt.

Damit ist die Frage, wer denn eigentlich die Richterberichte lese, beantwortet: alle, die am einzelnen Hund oder an der Präsentation bestimmter Hunde ein züchterisches, privates oder kynologisches Interesse haben.

In einigen anderen Ländern verfährt man mit dem Richterbericht im übrigen anders, als bei den meisten deutschen Klubs. Hierzulande wird der Richterbericht einer Ringsekretärin diktiert und später in den gedruckten Mitteilungen des Klubs veröffentlicht. Anderswo erhält der Aussteller bisweilen den mit Maschine geschriebenen Bericht im Durchschlag noch im Ring; eine spätere Veröffentlichung entfällt dann. Da aber Ausstellungen im Gegensatz zu einer immer häufiger geäusserten Meinung doch in erster Linie Zuchtschauen sind und nicht nur Schönheitswettbewerbe, kommt den Berichten der Richter in der Tat erhebliches züchterisches Interesse zu.

Daher sollte der Bericht alle wesentlichen Punkte des Hundes beschreiben. Das heißt nicht, daß der Richter einen kleinen Roman über jeden Hund schreiben sollte. Dazu würde wohl auch die Zeit fehlen. Aber mit stenogrammartigen Kurzfassungen ist auch niemandem gedient. »Sehr schöner Hund, bewegt sich gut, fröhliches Wesen« ist als Aussage sicher zu wenig, damit kann niemand etwas anfangen. Es müssen dann schon die besonderen Vorzüge dieses »sehr schönen Hundes« angeführt werden. Schließlich soll ja der vom Richter vergebene Formwert aus der Beschreibung des Hundes gewissermaßen logisch rhervorgehen, der Leser soll den Eindruck haben, daß aufgrund der Beschreibung nur dieser spezielle Formwert vergeben werden konnte.

Dies erfordert vom Richter große Konzentration und sicherlich auch einige Übung. Richteranwärter merken das immer wieder bei den Korrekturen ihrer Berichte. Was sind nun die wesentlichen Punkte, die im Bericht enthalten sein sollen? Professor Emil Hauck, einer der großen Kynologen der vergangenen Zeit, sagt dazu folgendes: »Der Beurteiler muß das Ergebnis seiner Feststellung in Worte fassen, das beurteilte Tier beschreiben. Die Beschreibung fällt verschieden aus, je nach dem Wissensstand dessen, für den sie bestimmt ist, und dessen, der sie gibt. Meist setzt aber der Berichterstatter voraus, daß sein Bericht von Sachkundigen gelesen wird. Der Durchschnittsleser wieder vertraut auf die Sachkunde des berichtenden Beurteilers und kann sich da manchmal irreführendes, ja schadenbringendes Halbwissen oder Scheinwissen aneignen. Die Kunst der Beschreibung ist vielleicht nicht lehrbar, wohl aber durch heißes Bemühen soweit erlernbar, daß der Kenner sich das beschriebene Tier mit den wesentlichen Vorzügen und Mängeln vorzustellen vermag. Die fachlichen Voraussetzungen der guten Beschreibung sind Kenntnis der Rassekennzeichen, Kenntnis der nahe verwandten Rassen, allgemeine Rassenkunde, Kenntnis der Familientypen innerhalb der Rasse, allgemeine Tierzuchtlehre und Exterieurlehre...«

Diese Sätze sind zwar schon ein paar Jahre alt, aber sie treffen im Kern immer noch die Voraussetzungen, die für einen informativen Bericht notwendig sind.

Darin geht es zunächst um den Gesamteindruck: es gehören dazu Größe, Substanz, Harmonie, Typ. Einige Fachbegriffe tauchen dabei immer wieder auf, wie zum Beispiel Konstitution (das Ererbte, Unveränderliche), Kondition (die derzeitige, am Tage der Ausstellung sichtbare Verfassung), Adel (typischer Aufbau, edel gemeißelter Kopf, stolze Haltung). Auch von den Außenlinien ist oft die Rede, wobei man zwischen der oberen (Hals-Rückenlinie) und der unteren (Brust-Bauchlinie) unterscheidet.

Nächster Punkt der Beschreibung ist der Kopf. Dabei ist die Rede vom typisch rüdenhaften oder hündinnenhaften Kopf, bei einigen Rassen vom Stop (dem deutlich ausgeprägten Stirnabsatz), von der Stirnfurche oder dem Hinterhauptbein. Wenn notwendig, sollte der Bericht Anmerkungen zum Fang oder zu den Lefzen enthalten.

Auf das Gebiß wurde schon in anderem Zusammenhang hingewiesen. Die FCI hat 1980 die Einführung einer einheitlichen Nomenklatur für die Bezeichnung des Gebisses beschlossen. Dabei werden die Zähne in jeder Kieferhälfte von vorn nach hinten gezählt. Die Formel der 42 Zähne im Hundegebiß lautet demnach: I 1–3; C; Pm 1–4; M 1–2 bzw. 1–3 im Unterkiefer.

Für den Gebißschluß der Schneidezähne werden einheitlich folgende Bezeichnungen, gemäß der Funktion des Unterkiefers verwendet: Scherengebiß, Zangengebiß, Vorbiß, Rückbiß. Bezeichnungen wie Überbiß, Unterbiß umgekehrte Schere

Kritischer Richterblick.

und so weiter sollen nicht mehr verwendet werden. (FCI – Rundschreiben 38/1980 vom 25.8.1980.)
Über das Ohr (Behang bei den Rassen mit hängenden Ohren) wird auch gelegentlich geschrieben, meist im Zusammenhang mit dem richtigen oder falschen Ansatz.
Das Auge ist im Richterbericht ein oft beschriebener Punkt: ob es beispielsweise tief oder zu weit auseinander liegt, ob der Hund schielt (was bei einigen Rassen recht häufig vorkommt!), ob die Augenfarbe den jeweiligen Standards entspricht, ob die Lider gut anliegen, ob ein Ektropium (Tütenbildung des unteren Lids) oder ein Entropium (einwärtsgerolltes unteres Lid) vorliegt. Die beiden letztgenannten Erscheinungen sind in aller Regel zuchtausschließende Fehler.
Nächster Punkt bei der Beschreibung des Hundes ist der Hals, über dessen richtige Gestalt es natürlich bei den verschiedenen Rassen sehr unterschiedliche Vorstellungen gibt. Meist geht es um die richtige Länge und die korrekte Form. Fast immer aber soll der Hals des Hundes harmonisch in eine schräg gelagerte Schulter

übergehen, »überfließen«. Der Hals soll also nicht auf die Schulter aufgesetzt sein, sondern fließend in sie übergehen.

Der Rumpf (das Gebäude) ist selbstverständlich ein entscheidender Körperteil für die gesamte Beurteilung. Dabei geht es um die korrekte Rippenwölbung ebenso wie um die Tiefe und die Länge des Gebäudes. Die Weite der Brust, die für die Leistungsfähigkeit des Hundes von großer Bedeutung ist, der straffe Rücken (oder auch der abfallende, wo immer er gefordert wird) sind Kriterien für ein korrektes Gebäude. Eine muskulöse Lendenpartie, eine nicht zu stark geneigte Kruppe, richtiger Rutenansatz (nicht zu hoch und nicht zu tief) sind ebenfalls unverzichtbare Einzelheiten eines Richterberichts.

Entscheidende Bedeutung kommt der Winkelung der Gliedmaßen zu, und zwar nicht allein wegen des Anblicks, sondern in erster Linie wegen der Bedeutung für eine raumgreifende, flüssige Bewegung. Auf den 90-Grad-Winkel zwischen Schulterblatt und Oberarm wurde bereits hingewiesen; der Winkel zwischen Oberarm und Unterarm beträgt etwa 135 Grad. Für die Hinterhand gilt bei der überwiegenden Zahl der Hunde folgendes: der Winkel zwischen Oberschenkel und Unterschenkel beträgt etwa 110 Grad, der zwischen Unterschenkel und Hintermittelfuß etwa 125 Grad. Die Bewegung selbst wird bei den meisten Rassen ein wichtiger Punkt im Richterbericht sein, da – wie ausgeführt – direkte Zusammenhänge zwischen einer korrekten Anatomie und der Bewegung bestehen.

Das Haarkleid ist bei einigen Rassen ein Punkt, der in der vollständigen Beschreibung nicht fehlen darf. Und schließlich ist immer wieder die Rede vom Wesen des Hundes. Jeder Richter weiß natürlich, daß er über das Wesen eines Hundes in den wenigen Minuten, die er ihn zur Beurteilung im Ring hat, nur sehr Unvollständiges und Unvollkommenes aussagen kann. Mancher Hund ist zum ersten Mal auf einer großen Ausstellung, ist sehr beeindruckt von all dem, was um ihn herum vorgeht, mancher ist gar verschreckt oder ängstlich; er muß deswegen nicht unbedingt ein schlechtes oder instabiles Wesen haben. Andererseits muß der Richter das beschreiben, was er an diesem Tag sieht. Und dann muß er unterscheiden zwischen dem absolut wesensfesten Hund, der sich von dem Trubel um ihn herum überhaupt nicht beeindrucken läßt und gelassen und fröhlich auftritt. Ein solcher Hund ist natürlich im Wesen stabiler, als der zuvor Geschilderte. Keinerlei Probleme gibt es bei der Beschreibung von Aggressivität oder Bissigkeit; dies sind eindeutige Wesensmängel, die auch leicht zu beurteilen sind. Ansonsten aber ist die Beurteilung des Wesens im Gegensatz etwa zur Anatomie oder zur Bewegung eine unerhört diffizile Angelegenheit, die vom Richter viel Einfühlungsvermögen und Fingerspitzengefühl erfordert. Worauf es beim Richten grundsätzlich ankommt, sei noch einmal zusammenfassend erläutert.

Der Richter hat bei seiner Tätigkeit eine einzige wichtige Aufgabe zu erfüllen, nämlich auf Rassehunde-Zuchtschauen diejenigen Hunde auszuwählen, die den Forderungen des Rassestandards am nächsten kommen. Dabei muß er den Hund zunächst in seiner Gesamtheit sehen, ihn zugleich aber im Blick auf die Anatomie, die Physiologie (auch der Nerven-Physiologie) und der Bewegungslehre beurteilen können. Es darf dabei nicht nur um das Detail gehen, sondern ein die Zucht förderndes Richten erfordert vor allem auch die richtige Einschätzung des Typs, der Konstitution und der Substanz.
So gesehen gibt der Richter dem Züchter durch seine Bewertung und durch seine Beschreibung wertvolle Hinweise für seine Arbeit.

Die Formwerte

Von den Formwerten war im Zusammenhang mit dem Richten schon mehrfach die Rede. Am Ende der Beurteilung eines Hundes muß der Richter eine Entscheidung treffen, die bisweilen alles andere als einfach ist: er muß dem Hund einen Formwert zuerkennen. Nach der Zuchtschau-Ordnung des VDH wird unterschieden zwischen den Formwerten »Vorzüglich«, »Sehr gut«, »Gut«, »Genügend« und »Ungenügend«. In der Jüngstenklasse auf Internationalen Zuchtschauen gibt es »Vielversprechend«, »Versprechend« und »Guter Nachwuchs«. Die Formwerte sagen so als nackte Begriffe wenig aus. Deswegen sollen an dieser Stelle die Erläuterungen zitiert werden, wie sie im Artikel 19 des Ausstellungsreglement der FCI niedergelegt sind. Es heißt dort: »Vorzüglich darf nur einem Hund zuerkannt werden, der dem Idealstandard der Rasse sehr nahekommt, in ausgezeichneter Verfassung vorgeführt wird, ein harmonisches, ausgeglichenes Wesen ausstrahlt, der »Klasse« und eine hervorragende Haltung hat. Seine überlegenen Eigenschaften seiner Rasse gegenüber werden kleine Unvollkommenheiten vergessen machen, aber er wird die typischen Merkmale seines Geschlechts besitzen.

Sehr gut wird nur einem Hund zuerkannt, der die typischen Merkmale seiner Rasse besitzt, von ausgeglichenen Proportionen und in guter Verfassung ist. Man wird ihm einige verzeihliche Fehler nachsehen, jedoch keine morphologischen. Dieses Prädikat darf nur einem Klassehund verliehen werden.

Gut. Dieses Prädikat ist einem Hund zuzuerteilen, welcher die Hauptmerkmale seiner Rasse besitzt, aber Fehler aufweist.

Genügend. Diese Bewertung erhält ein Hund, der seinem Rassetyp genügend entspricht, ohne dessen allgemein bekannte Eigenschaften zu besitzen, beziehungsweise dessen körperliche Verfassung zu wünschen übrigläßt.«

Über den Formwert »Ungenügend« wird an dieser Stelle nichts ausgesagt, aber er erklärt sich eigentlich von selbst: ein Hund mit diesem Prädikat genügt nicht den Anforderungen, die an ihn als Rassehund gestellt werden.

»Vorzüglich« oder »Sehr gut«?

Die Aussteller sollten sich die FCI-Beschreibung der Formwerte einmal sehr gründlich durchlesen. Die Anforderungen, die hier an den Formwert »Vorzüglich« gestellt werden, sind so hoch, daß dieses Prädikat vom Sinn her tatsächlich nur selten und bei ganz hervorragenden Hunden vergeben werden dürfte. Aber auch das »Sehr gut« verdient größte Aufmerksamkeit: dieses Prädikat dürfe nur einem Klassehund vergeben werden – so heißt es im Reglement. Und wenn dann die enttäuschten Aussteller mit dem Richter oder vielleicht sogar mit ihrem Hund hadern, daß er »nur« ein »Sehr gut« erhalten hat, haben sie sich gewiß nicht vor Augen gehalten, daß er das Prädikat eines Klassehundes bekommen hat. Die Qualität der Formwerte zu erkennen, dies ist für jeden Aussteller eine wichtige Sache. Selbstverständlich ist es schön, wenn ein Aussteller – und zumal ein Anfänger – mit seinem Hund den höchsten Formwert erreicht. Aber das »Vorzüglich« kann und darf nicht der Normalfall werden, oder anders ausgedrückt: nicht jeder schöne Hund kann ein V bekommen.

Es gibt Rassehundezuchtvereine, bei denen das V die herausragende Ausnahme für den wirklich herausragenden Hund ist. Nur die allerbesten können dort diesen Formwert erreichen. Die dort amtierenden Richter tun gewiß Gutes für das Niveau der gesamten Zucht. Es gibt aber auch Fälle, wo man geradezu von einer »V-Schwemme« sprechen kann –, und das kann für eine verantwortungsbewußte Richterei mit Blick auf die Zucht nicht gut sein.

Natürlich kann ein Richter nicht von vornherein sagen, daß er an einem bestimmten Tag nur soundsoviele V vergibt. Das kann sich allein nach der Qualität der gezeigten Hunde und nicht nach einem vorher vorgenommenen Prozentsatz richten. So geschieht es auch bisweilen, daß Klassen zusammenkommen, in denen mehrheitlich ein V vergeben werden muß. Nur kann dies nicht die Regel sein, der Maßstab muß sehr hoch angesetzt werden, wenn die Zuchtschau nicht zur »Show« degradiert werden soll.

Hunde, die dem Rassestandard nahekommen und keine eklatanten Fehler aufweisen, sollen ihr verdientes V bekommen. Hunde wiederum, bei denen der Richter mit sich kämpfen muß, die also nicht eindeutig »Vorzüglich« sind, sollten im Zweifelsfall den Formwert »Sehr gut« erhalten. Aber Sg bewirkt, wie gesagt, oft schon völlig zu Unrecht Enttäuschung, weil das V viel attraktiver ist und alles, was nicht V ist, eigentlich gar nicht mehr zählt. Wer so denkt, tut weder seinem sehr guten Hund einen Gefallen, noch hat er den Sinn der Formwerte in ihrer Aussage verstanden.

Einmal »V« – immer »V«?

Ein anderes, immer wiederkehrendes Problem ist bei Ausstellern die Frage, wie es denn kommen könne, daß ihr Hund auf der einen Ausstellung ein V, vielleicht sogar mit Plazierung, erhalten hat, auf der nächsten Ausstellung dann und bei einem anderen Richter nur ein Sg. Hat sich denn der Hund, so die Frage, innerhalb von

einer Woche oder von 14 Tagen so verschlechtert, daß er eine ganze Wertnote abrutschen konnte?
Nun, die Antwort auf diese Frage ist gar nicht so kompliziert, wie sie auf den ersten Blick erscheinen mag. Sicher hat sich der betreffende Hund in seinen anatomischen Qualitäten in der Zwischenzeit nicht verändert. Aber die sind ja, wie vorher ausführlich beschrieben, keineswegs allein für die Erteilung eines Formwertes entscheidend.
Der Richter kann einen Hund nur so beurteilen, wie er ihn am Ausstellungstag sieht. Selbst Siegerhunde haben einmal einen schlechten Tag, auch sie zeigen sich nicht immer in der gleichen Perfektion. Das heißt, daß sich Hunde aus ganz verschiedenen Gründen einmal so und ein anderes Mal ganz anders präsentieren. Der Hund ist keine Maschine, die man per Knopfdruck in Gang setzt und die dann mechanisch funktioniert. Er ist ein Lebewesen wie wir, und jedermann weiß, daß auch wir nicht jeden Tag unsere besten Leistungen bringen.

Professor Eugen Seiferle hat darauf hingewiesen, daß der Hund ein körperlich und seelisch sehr bewegliches und labiles Geschöpf sei. Die Muskulatur des Hundes, so Seiferle weiter, diene nicht nur der Bewegung, sondern auch zur Fixation der Gelenke und damit der Stabilisierung des Gebäudes im Stand wie in der Bewegung. Der Hund benötigt den Muskeleinsatz – vor allem der Hals-, Rücken- und der übrigen Rumpfmuskeln – schon zum Stehen, insbesondere zum aufrechten, ausstellungsgerechten Stehen. Daher ist es durchaus von Bedeutung, ob der Hund bei optimaler Gesundheit und bei bestem Wohlbefinden ist, ob er ausgeruht und nicht von einer langen Anreise ermüdet ist. Auch die Umwelteinflüsse auf einer Ausstellung können den Hund so negativ beeinflussen, daß er sich eben nicht so zeigt, wie er das bei anderer, ihm sympathischerer Gelegenheit getan hat. So kann es eben kommen, daß er sich im Ring auch einmal »hängen« läßt, daß er die Rute nicht so trägt, wie es verlangt wird, daß er lustlos und wenig raumgreifend läuft. Seiferle meint zu Recht: »Und so kann es dann geschehen, daß das mit Stolz heimgebrachte ›Vorzüglich‹ unter einem anderen, unter Umständen aber auch unter dem gleichen Richter ein nächstes Mal zu einem ›Sehr gut‹ oder gelegentlich sogar zu einem ›Gut‹ wird. Denn der Richter kann und soll ja nur darüber ein Urteil abgeben, was er am Tag der Ausstellung zu sehen bekommt: eine Aufgabe, die ihm, wenn er den Hund kennt, allerdings nicht immer leicht fallen mag. Auf jeden Fall aber wäre es falsch, die gelegentliche Abwertung einer Qualifikation immer gleich mit der Unfähigkeit der Richter begründen zu wollen. Denn auch das Umgekehrte kommt bekanntlich vor, und auch dafür wird man ja nicht den Richter allein verantwortlich machen wollen.«
Damit ist alles ausgedrückt, was zu diesem immer wieder auftauchenden Thema zu sagen ist. Wer sich einmal klar gemacht hat, daß sein Hund auch seine guten

und seine weniger guten Tage hat, der wird bei einem solchen Urteil nicht gleich den Richter verurteilen wollen.
Zusammenfassend: der Formwert »Vorzüglich« darf nicht zu häufig vergeben und damit entwertet werden. Der vorzügliche Hund muß der herausragende Hund bleiben. Das V darf nicht der normale Formwert sein und das Sg gewissermaßen eine Bestrafung. Ein Sg-Hund ist ein Klassehund, dies muß immer wieder in Erinnerung gerufen werden.
An den Richtern liegt es in erster Linie, daß hier die Dinge bei den Ausstellern wieder gerade gerückt werden, wo sich die Maßstäbe vielleicht schon ein wenig verschoben haben.

Strenge oder milde Richter

Es muß kein Richter mit dem Image herumlaufen, er sei ein besonders scharfer Richter, weil er das V nur relativ selten vergibt. Es macht auch keinen Sinn, wenn ein Richter seine Strenge damit dokumentieren will, daß er vorzügliche Hunde – und zwar einwandfrei vorzügliche! – auf Sg herunterrichtet, nur um eben streng und gefürchtet zu sein. Solches »Hinrichten« kann nicht im Interesse der Zucht liegen, wenn schon andere Argumente den Richter von seinem Tun nicht abhalten könnten. Keine Richter-Autorität leidet darunter, wenn das V an diejenigen Hunde vergeben wird, die es verdienen. Autorität hat der Richter, der sachlich und gerecht seine Bewertungen abgibt und der nicht dazu neigt, mit dem Drang nach oben oder nach unten in seinen Urteilen zu verfahren.
Geradezu verhängnisvoll ist dagegen der allzu milde Richter. Nicht nur, daß er bei den Ausstellern alsbald »die Preise« verdirbt – solche Richter werden bekanntlich besonders gern und häufig zu Ausstellungen eingeladen, weil sie viele Meldungen bringen und fast alle am Ende zufrieden sein können! –, er schafft auch Erwartungen bei manchem Aussteller, die dessen Hund schon bei der nächsten Schau und bei einem anderen Richter nicht im entferntesten bestätigen kann. Auch im Ausland kann man es gelegentlich erleben, daß nahezu dreiviertel der Hunde mit einem »Vorzüglich« aus dem Ring gehen.
Es gibt kaum eine Rasse, deren Niveau so hoch geworden ist, daß mit Blick auf die FCI-Beschreibung der Großteil der vorgestellten Hunde »dem Idealstandard der Rasse sehr nahekommt«. Meistens ist bei einem solchen Ergebnis ein Richter am Werk, der einfach zu mild wertet und niemandem weh tun möchte.
Eine völlige Einheitlichkeit im Richten wird sich kaum jemals verwirklichen lassen. Wichtig ist aber, daß die Richter einer Rasse wissen, auf welche Points es ganz besonders ankommen muß, welche Fehler unbedingt mit einer Formwertminderung geahndet werden müssen –, was also der Rasse dienlich und was ihr schädlich

ist. Wenn das im Richterkollegium einer Rasse einmal grundsätzlich diskutiert worden ist, wird es kaum zu eklatanten Abweichungen kommen können –, wenn man davon absieht, daß die Tagesform eines Hundes durchaus einmal zu einer Formwertminderung, aber auch zu einem besseren führen kann.
Am Ende dieses Kapitels sei noch darauf hingewiesen, daß aufgrund einer Vereinbarung zwischen dem VDH und dem Verein für Deutsche Schäferhunde bei diesem eine etwas andere Bewertung gehandhabt wird. Bei den Schäferhund-Leuten werden folgende Bewertungen vergeben: Vorzüglich – Sehr gut – Gut – Ausreichend – Mangelhaft – Ungenügend. Dabei ist V und Auslese V für Hunde der Gebrauchshundklasse bestimmt, die »bei Anlegung strengsten Maßstabes höchsten Anforderungen auf Gebäude, Wesen und Blutführung entsprechen.« .(SV – Schauordnung). Dabei ist noch zu berücksichtigen, daß über dreieinhalb Jahre alte Hunde angekört sein müssen und daß ein V nur noch diejenigen erhalten können, die bei der Körung das »a« erhalten haben. Sg soll an jene Hunde gegeben werden,

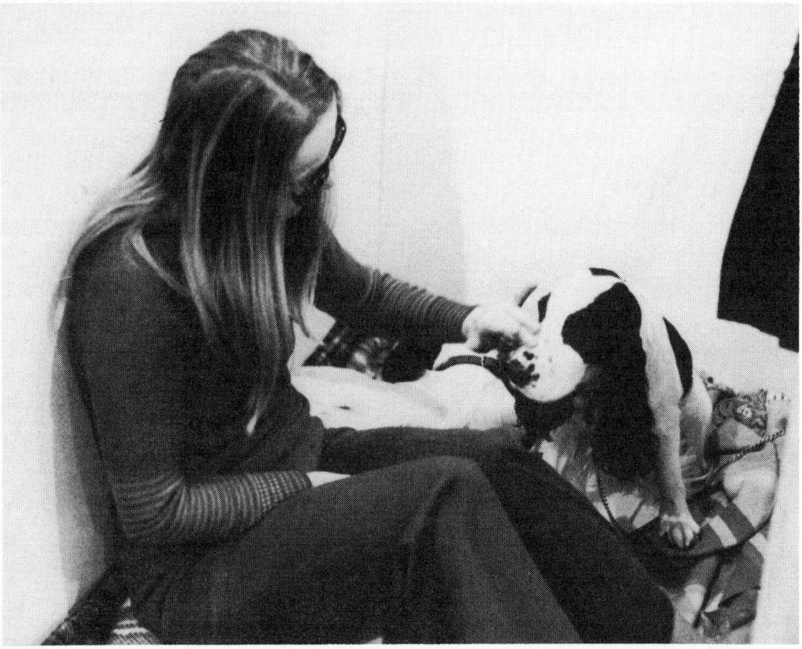

Boxen-Idylle.

die nach Äußerem, Wesen und Blutführung bei gutem Gebrauchsgebäude hohen Anforderungen entsprechen. G ist für Hunde bestimmt, bei denen keine Mängel im Äußeren und im Wesen vorhanden sind, die die Gebrauchstüchtigkeit wesentlich beeinträchtigen, oder für solche Hunde, die noch nicht genügend entwickelt oder unfertig sind. Ausreichend wird bei beachtlichen Mängeln im Aussehen oder für solche Hunde vergeben, die sich schuß-empfindlich zeigen. Mangelhaft und Ungenügend sind Hunde, die mehr oder weniger grobe Fehler aufweisen, ebenso Hunde mit schlechtem Wesen oder die ängstlich und nervös sind.
Aus diesen Bestimmungen ist zu erkennen, daß der »Verein für Deutsche Schäferhunde« zu denjenigen Klubs gehört, die die Beschreibung und den qualitativen Inhalt der Formwerte sehr ernst nehmen. Nicht nur das V, sondern auch das Sg ist dort ein herausgehobener Formwert – so, wie es die Beschreibung eigentlich beinhaltet.

Bewertung: **M** (Miserabel)

Anwartschaften und Siegertitel

Das CACIB

Die mit den höchsten Formwerten und der besten Reihenfolgeplazierung ausgestatteten Hunde konkurrieren auf den Ausstellungen schließlich um die ausgeschriebenen Anwartschaften beziehungsweise auch um Siegertitel.
Wichtigste Anwartschaft auf einer Internationalen Zuchtschau ist das CACIB (Certificat d'Aptitude au Championat International de Beauté), das heißt also, die Anwartschaft auf das Internationale Schönheits-Championat der FCI. Die Bedingungen für die Vergabe des CACIB sind fest vorgegeben, der Richter hat da von den Formalien her keinerlei Spielraum.
Für das CACIB konkurrieren allein die V 1-Hunde aus der Offenen Klasse, der Gebrauchshundklasse (Arbeitsklasse) und aus der Siegerklasse. Diese Hunde müssen nach dem Reglement wenigstens 15 Monate alt sein und einen lückenlosen Ahnennachweis über wenigstens drei Generationen auf einer anerkannten Ahnentafel vorlegen können.
In der Ausstellungspraxis sieht das so aus, daß am Ende des gesamten Richtens, wenn also alle Hunde, die im Katalog verzeichnet waren, ihren Formwert erhalten haben, die sogenannten Endkonkurrenzen stattfinden. Sie sind nicht nur für die teilnehmenden Aussteller eine aufregende Angelegenheit (auch »altgediente« Profis kommen dabei immer wieder ins Schwitzen!), sondern auch für die Besucher logischerweise der Höhepunkt des Ausstellungstages. Das ist auch ganz verständlich, denn es geht dabei schließlich um nicht mehr und nicht weniger, als um den an diesem Tag schönsten anwesenden Vertreter seiner Rasse.
In einer letzten Ausscheidung wird vom Richter – getrennt nach Rüden und Hündinnen – der Beste seiner Rasse ermittelt, »wenn diese mit V 1 bewertet und wirklich hervorragend sind, unabhängig von der der Zahl der Konkurrenten und dem Alter der Hunde.« So heißt es wörtlich in den Vergabebedingungen für das CACIB.
Ausdrücklich ist es dem Richter freigestellt, ob er das CACIB vergeben will: er kann es vergeben, muß es aber keineswegs tun. Es ist wiederholt vorgekommen, daß sich ein Richter nicht zur Vergabe des CACIB entscheiden konnte, weil eben die von ihm zuvor mit V 1 bewerteten Hunde – möglicherweise in einer nicht überragend besetzten Konkurrenz – in seiner Sicht nicht so hervorragend waren. Eine solche Entscheidung ist bei den Ausstellern unpopulär. In der Tat wäre dann zu

fragen, ob der Richter dann nicht zuvor bei der Vergabe des Formwerts V hätte strenger sein sollen. Aber immerhin heißt es im FCI-Reglement wörtlich: »Das CACIB kann nur einem Hund erteilt werden, der in der ›Vorzüglich‹-Gruppe als erster klassiert wurde, die Belohnung ist jedoch nicht automatisch mit dem ersten Platz verbunden. Es wird dem schönsten Hund zugesprochen, der das Prädikat ›Vorzüglich‹ erhalten hat, unter der Bedingung, daß der Hund ganz hervorragend ist.«

Der mit dem CACIB ausgezeichnete Hund erhält dann vom Richter eine Anwartschaftskarte in den Landesfarben, auf der bescheinigt wird, daß der Hund für das CACIB vorgeschlagen wird. Über die Geschäftsstelle des VDH wird dieser Vorschlag dann an die FCI weitergeleitet, die nach genauer Prüfung der Daten des Hundes später die Bestätigung ausspricht.

Nun gibt es auf den Internationalen Ausstellungen nicht nur das CACIB, sondern auch ein Reserve-CACIB. Dieses geht an den zweitbesten Rüden und die zweitbeste Hündin einer Rasse, wenn auch sie »wirklich hervorragend« sind. Nach den Vergabe-Bestimmungen kann der Reserve-CACIB-Hund aufrücken und das CACIB bestätigt bekommen, wenn er am Ausstellungstag 15 Monate alt war, die übrigen Bedingungen erfüllt und wenn sich bei der späteren Prüfung durch die FCI herausstellt, daß eine der geforderten Voraussetzungen beim CACIB-Hund

FCI
VDH
Genehmigt vom Verband für das Deutsche Hundewesen (VDH) und der Fédération Cynologique Internationale (FCI)
INTERNATIONALE ZUCHTSCHAU
FÜR HUNDE ALLER RASSEN
AM 5./6. 3. 1977
IN MÜNCHEN
CACIB der FCI

 CACIB-Formular.

nicht erfüllt waren oder wenn dieser Hund bereits den Titel Internationaler Schönheits-Champion führte. Die Ermittlung des Reserve-CACIB bereitet auf den Ausstellungen indessen gelegentlich Schwierigkeiten.
Wichtig ist nämlich, daß in den Wettbewerb um das Reserve-CACIB auch die mit V 2 bewerteten Hunde der drei konkurrierenden Klassen eingreifen können. Das geschieht zwangsläufig, wenn der Richter aus den drei V 1-Hunden den Gewinner des CACIB ermittelt hat. Dann kommt der V 2-Hund der Klasse, aus der vorher der CACIB-Hund ausgewählt wurde, mit in den Wettbewerb. Da kann es durchaus sein, daß beispielsweise der V 2-Hund der Offenen Klasse besser ist als die V 1-Hunde der Gebrauchshund- und der Siegerklasse, oder daß der V 1-Hund der Siegerklasse das CACIB erhielt und der V 2-Hund dieser Klasse besser ist, als die beiden anderen V 1-Hunde.

Entscheidend ist, daß der V 2-Hund der Klasse in den Wettbewerb um das Reserve-CACIB kommt, deren V 1-Hund das CACIB erhielt. Er kann – da nur vom CACIB-Hund geschlagen – besser sein, als die beiden anderen ermittelten V 1-Hunde. Schauleiter und Aussteller sollten diese Regelung immer vor Augen haben, da es oft langwieriger Sucherei nach dem V 2-Hund in der Endkonkurrenz bedarf. Aus Unkenntnis entfernen sich die Führer solcher Hunde und ahnen gar nicht, daß sie im Wettbewerb um den zweitschönsten Hund der Rasse stehen.
Das CACIB, also die Anwartschaft auf das Internationale Schönheits-Championat, ist für sich allein genommen eine große Auszeichnung für einen Hund. Schwieriger noch ist es aber, den Titel zu gewinnen.
Die FCI hat für die Erlangung des Schönheits-Championates strenge, und keineswegs leicht zu erfüllende Bedingungen aufgestellt.
Dabei wird unterschieden zwischen Rassen, die für das Internationale Schönheits-Championat eine Arbeitsprüfung benötigen – also eine ganze Reihe der Gebrauchshunde und der Jagdhunde –, und den Rassen, die eine solche Arbeitsprüfung nicht ablegen müssen. Die Liste der Hunderassen, die für den Erwerb des Titels eine Arbeitsprüfung vorweisen müssen, wird von der FCI in jedem Jahr unter gleichzeitiger Bekanntgabe der Art der Prüfung veröffentlicht. Hunde ohne Arbeitsprüfung benötigen demnach vier von der FCI bestätigte CACIB, und zwar unter drei verschiedenen Richtern in drei verschiedenen Ländern. Davon muß ein CACIB im Heimatland des Hundeeigentümers oder im Ursprungsland der Rasse erworben worden sein. Diese letztere Forderung ist natürlich bei all denen Ländern nicht zu erfüllen, die für die Einfuhr von Hunden Quarantäne-Bestimmungen erlassen haben. Zwischen dem ersten und dem letzten CACIB muß im übrigen ein Zeitraum von mindestens einem Jahr liegen.
Von Hunden mit Arbeitsprüfung werden zwei durch die FCI bestätigte CACIB unter zwei verschiedenen Richtern in zwei Ländern, davon einmal im Heimatland

des Hundebesitzers oder im Ursprungsland der Rasse, verlangt. Außerdem ist der Nachweis zu führen, daß der Hund die von der FCI für den Erwerb des Titels vorgeschriebene Arbeitsprüfung abgelegt hat. Auch hier muß zwischen den beiden geforderten CACIB ein zeitlicher Abstand von mindestens einem Jahr liegen. Der Vollständigkeit wegen sei an dieser Stelle auch auf den FCI-Titel »Internationaler Arbeits-Champion« hingewiesen, der zwei durch die FCI bestätigte CACIT, erworben auf nationalen Arbeitsprüfungen mit Terminschutz der FCI aus zwei verschiedenen Ländern erbringen muß. Auf Ausstellungsseite benötigt ein solcher Arbeits-Champion mindestens den Formwert »Sehr gut«, und zwar erworben auf einer CACIB-Rassehunde-Zuchtschau im In- oder im Ausland. Auch hier wird ein zeitlicher Zwischenraum von einem Jahr für die beiden Anwartschaften (CACIT) verlangt.

VDH-Siegeranwartschaft

Die Anwartschaft auf den VDH-Siegertitel für alle Rassen (VDH – SA) wird auf allen vom VDH geschützten Zuchtschauen vergeben. Das gilt auch für die Spezialzuchtschauen derjenigen Klubs, die unter dem Terminschutz des VDH stehen (nicht beispielsweise der Jagdspaniel-Klub, der auf seinen Spezialzuchtschauen die VDH-SA nicht vergibt).

Im Gegensatz zum CACIB muß der Richter die VDH-Siegeranwartschaft an die mit V 1 bewerteten Hunde vergeben, und zwar in der bei einigen Rassen ausgeschriebenen Junghundklasse (nicht Jugendklasse!), in der Offenen Klasse, in der Gebrauchshundklasse und in der Siegerklasse. Auch hier erfolgt die Vergabe getrennt für Rüden und Hündinnen. Darüber hinaus kann der Richter für den zweitbesten Rüden und die zweitbeste Hündin der genannten Klassen die VDH-Reserve-Siegeranwartschaft (VDH-SA-Reserve) vergeben.

Für den VDH-Siegertitel (VDH-ST) sind folgende Bedingungen gültig:

a) vier bestätigte Anwartschaften von CACIB-Zuchtschauen, oder

b) drei bestätigte Anwartschaften von CACIB-Zuchtschauen und eine bestätigte Anwartschaft von einer Allgemeinen Rassehundezuchtschau; oder

c) drei bestätigte Anwartschaften von CACIB-Zuchtschauen und eine bestätigte Anwartschaft von einer durch den VDH geschützten Spezialzuchtschau oder

d) zwei bestätigte Anwartschaften von CACIB-Zuchtschauen und zwei bestätigte Anwartschaften von durch den VDH geschützten Spezialzuchtschauen.

Wichtig ist, daß zwischen der ersten und der letzten Anwartschaft bei Rüden ein zeitlicher Mindestzwischenraum von 24 Monaten liegen muß, bei Hündinnen sind es zwölf Monate. Diese Zwischenräume machen es insbesondere bei den Rüden durchaus nicht einfach, den VDH-Siegertitel zu erringen. Immerhin muß ein

Diese Karte bedarf eines Bestätigungsvermerkes der VDH-Geschäftsstelle. Sie ist bei gleichzeitiger Zahlung der Gebühr von DM 6,– (Postscheckkonto: Dortmund 12 41) zur Anbringung des Bestätigungsvermerkes an die VDH-Geschäftsstelle einzusenden.

VDH

Verband für das Deutsche Hundewesen e. V. - Sitz Dortmund
46 Dortmund – Mallinckrodtstraße 26 – Ruf: (0231) 81 82 28
Mitglied der Fédération Cynologique Internationale

Auf der **Internationalen Zuchtschau am 5./6. 3. 1977 in München**

erhielt der Hund Polo v. Stammheimer Häuschen

ZB-Nr. 3059/72 Katalog-Nr.: 1394

in der Offenen Klasse

die Bewertung „Vorzüglich I" und wurde für eine

Anwartschaft auf den VDH-Siegertitel

in Vorschlag gebracht.

A. KOLKMANN
Name des Richters in Blockschrift

Kolkmann
Unterschrift des Ausstellungsrichters

Koffler-Druck Dortmund –

Anwartschaftskarte für VDH-Sieger.

Hund dann über zwei Jahre in bester Form und Kondition gehalten werden, und dies ist bei der großen Konkurrenz der nachrückenden jüngeren Hunde durchaus eine beachtliche Schwelle. Die Stars für eine einzige Saison, die dann bald abbauen, haben da kaum eine Chance.

Der Deutsche Bundessieger

Dieser Titel wird für alle Rassen alljährlich auf der Bundessiegerzuchtschau verliehen. Er ist inzwischen im Inland wie im Ausland gleichermaßen begehrt, so daß diese Ausstellung immer mehr Teilnehmer anlockt.

Der Bundessieger wird in der Offenen Klasse, in der Gebrauchshundklasse und in der Siegerklasse ermittelt; analog zur Vergabe des CACIB müssen auch Hunde, die den Bundessiegertitel erringen wollen, mindestens 15 Monate alt sein. Einige Vereine haben an die Vergabe dieses Titels sowohl vom Alter her als auch von geforderten vorherigen Anwartschaften besondere Bedingungen geknüpft. Es sind dies: Der »Deutsche Kurzhaar Verband e. V.«; er vergibt den Bundessieger ab 18 Monaten und nur in der Gebrauchshundklasse. Der »Jagdspaniel-Klub e. V.« ver-

langt für den Bundessieger, der im übrigen in sämtlichen getrennt gerichteten Farbschlägen aller Varietäten vergeben wird, zwei vorher erworbene CACIB beziehungsweise zwei Klub-Siegeranwartschaften, wobei ein CACIB oder eine Anwartschaft durch einen I. Preis auf einer Prüfung ersetzt werden kann. Der »Deutsche Jagdterrier-Club e. V.« hat das Mindestalter für den Bundessieger auf 18 Monate festgelegt, ebenso der »Boxer-Klub e. V.«, der darüber hinaus auch die Körung verlangt. Der »Dobermann-Verein e. V.« fordert: Zuchttauglichkeit und Abrichtekennzeichen, AZG oder FCI – anerkannte Arbeitsprüfung mit mindestens Unterordnung und Schutzdienst, die nachzuweisen sind. Der »Allgemeine Deutsche Rottweiler-Klub e. V.« hat das Mindestalter auf 24 Monate festgelegt, der Bundessieger kann nur aus der Gebrauchshundklasse kommen, und er muß gekört sein. Beim »Klub für Ungarische Hirtenhunde e. V.« liegt das Mindestalter bei 18 Monaten, beim »Deutschen Teckelklub e. V.« erfolgt die Vergabe des Titels durch ein Richterkollegium, und der »Klub für Terrier e. V.« vergibt den Bundessieger bei den Airedales nur an Hunde mit Ausbildungskennzeichen.
Alle diese Sonderbestimmungen erfolgten natürlich im Einverständnis mit dem VDH aufgrund der jeweils besonderen Bedingungen bei den einzelnen Rassen. Weil das so ist, kann für die Zuschauer bei der Siegerehrung schon einmal Verwirrung entstehen: nicht unbedingt nämlich muß bei diesen Rassen der Gewinner des CACIB mit dem Bundessieger identisch sein. Das ist der Fall, wenn ein Hund, der nach dem Urteil des Richters zwar der schönste ist, gleichwohl nicht die besonderen Bedingungen des Klubs für die Vergabe des Bundessieger-Titels erfüllt hat. Man kann darüber diskutieren, ob dies prinzipiell eine gute Lösung ist. Aus der Sicht der Vereine spricht einiges dafür, für den unkundigen Besucher ist es bisweilen etwas rätselhaft.

Im übrigen gelten die Sonderbestimmungen der Klubs fast identisch auch für den

Europasieger

Auch dieser Titel wird alljährlich auf einer Internationalen Zuchtschau des VDH bei allen Rassen vergeben. Sowohl bei der Bundessieger-Zuchtschau als auch bei der Europasieger-Zuchtschau werden auch die Titel »Bundesjugendsieger« und »Europajugendsieger« vergeben. Dieser Titel kann an den mit V 1 oder Sg 1 bewerteten Rüden oder die Hündin der Jugendklasse vergeben werden. Die Vergabe steht im Ermessen des Richters. Bei Rassen, die neben der Jugendklasse auch eine Junghundklasse im Wettbewerb haben, werden nach Beendigung des Richtens die erstplazierten Hunde gegenübergestellt und aus ihnen wird dann der Bundesjugend- beziehungsweise der Europajugendsieger ermittelt. Die Jüngstenklasse ist an diesem Wettbewerb nicht beteiligt.

Die Sieger der Bundessieger- und der Europasiegerschau werden am Ende des Veranstaltungstages jeweils in einem Ehrenring den Zuschauern vorgestellt. Eine gute Gelegenheit, die verschiedensten Rassen der Öffentlichkeit bekannt zu machen.

Weltsieger

Für den Weltsieger gelten analog die gleichen Bestimmungen, wie für Bundes- und Europasieger. Auch hier sind die Sonderbestimmungen der einzelnen Klubs und Vereine in Kraft, wie sie vorher beschrieben worden sind.

Das CAC

Zu den in nahezu allen Klubs gebräuchlichen Anwartschaften zählt das CAC, also das »Certificat d'Aptitude au Championat«. Es bedeutet die Anwartschaft auf das nationale Schönheits-Championat. Diese Anwartschaft hat also nichts mit der FCI und ihren Vergabebestimmungen zu tun. Diese liegen vielmehr allein in der Zuständigkeit der einzelnen Rassezuchtvereine.
Die Verwendung des Begriffs CAC in Deutschland ist noch nicht allzu traditionsreich. Zweifellos wurde das Verfahren aus dem Französischen übernommen, und es wurde für einige Klubs sogar dringlich, als bestimmte klubinterne Siegertitel nach einer Neufassung der entsprechenden Vorgaben des VDH nicht mehr für die Meldung in der Siegerklasse genügten. Logischerweise überlegte man sich dann auch in den deutschen Vereinen, wie man diese Klippe umschiffen könne. Der Ausweg war die Einführung des »Deutschen Champions«, also eines nationalen Siegertitels aufgrund bestimmter Anwartschaften (CAC's). Damit bestand auch keine Schwierigkeit mehr für die Meldung in der Siegerklasse, da das Reglement unter anderem einen »Nationalen Champion« dafür verlangt. In Österreich heißt diese Anwartschaft CACA, in Polen CWC.

Bestimmungen einzelner Klubs

Die Vergabebestimmungen der einzelnen Klubs sind recht unterschiedlich. Im folgenden seien einige aufgeführt. Über weitere Einzelheiten geben die Vereine und Klubs jedem Interessenten gern und schnell Auskunft.
Der »Allgemeine Chow-Chow-Club e. V.« verlangt für den »Nationalen Champion« vier Anwartschaften (CAC) unter drei verschiedenen Spezialrichtern. Zwischen dem ersten und dem vierten CAC müssen zwölf Monate liegen. Weitere interne Titel: Clubsieger und Clubjugendsieger.
Der »Allgemeine Deutsche Rottweiler-Klub« kennt nur den Klubsieger und den Jugendbesten.

Der »Basset-Hound-Club« verleiht den Titel »Deutscher Champion« und verlangt dafür vier CAC unter drei Spezialrichtern. Zwischen dem ersten und dem vierten CAC muß ein Jahr liegen. Weitere Titel: Clubsieger(-in) des jeweiligen Jahres, vergeben auf der Clubsiegerschau.

Der »Beagle Club Deutschland e. V.« verlangt für den Deutschen Champion drei Anwartschaften unter zwei verschiedenen Richtern; auch hier muß ein Jahr zwischen der ersten und der letzten Anwartschaft liegen. Außerdem wird jährlich der Clubsieger(-in) und der Clubjugendsieger(-in) vergeben. Der »Boxer-Klub e. V.« verlangt für den Klubsieger drei Klubsiegeranwartschaften unter drei verschiedenen Richtern, Mindestabstand auch hier ein Jahr. Außerdem gibt es den Jahressieger, der auf der Jahressiegerzuchtschau ermittelt wird. Voraussetzung für alle Titel ist die Ankörung.

Der »Club für Britische Hütehunde e. V.« verlangt für den »Deutschen Champion« vier CAC, die nur in der Offenen Klasse, Siegerklasse und Gebrauchshundklasse in Wettbewerb gestellt werden. Drei Anwartschaften müssen bei wenigstens zwei Spezialrichtern des Clubs erworben worden sein. Keinerlei Siegertitel oder Anwartschaften interner Art kennt der »Deutsche Brackenverein e. V.«.
Der »Deutsche Dalmatiner-Club« wiederum vergibt das Deutsche Championat bei vier CAC's unter drei verschiedenen Richtern. Mindestzwischenraum: 360 Tage. Außerdem gibt es den Clubsieger(-in) und den Clubjugendsieger(-in) auf den jeweiligen Clubsieger-Zuchtschauen.
Der »Deutsche Doggen-Club« verlangt für den Titel »Deutscher Champion Schönheit« vier CAC in drei Bundesländern unter drei verschiedenen Richtern. Zwischen dem ersten und dem vierten CAC muß auch hier ein Jahr liegen. Auch hier wird der Titel erst ab dem 15. Monat vergeben, wenn die Dogge in der Offenen Klasse, der Arbeitsklasse oder der Siegerklasse ausgestellt wird.
Der »Deutsche Neufundländer-Klub e. V.« prämiiert allein den Klubsieger nach drei Anwartschaften oder zwei Anwartschaften und zwei Reserve-Anwartschaften.

Im »Deutschen Retriever Club e. V.« mußten bis vor kurzem für den Deutschen Champion zwei CAC und der Nachweis einer bestandenen Jagdprüfung aus dem Club-Programm erbracht werden. Die Vergabebedingungen für das CAC sollten inzwischen verschärft werden.

Der »Deutsche Teckelklub« kennt Landessieger für den besten Hund jeder Haarart und der drei Varietäten, und zwar wird er nur an den besten Teckel der Gebrauchsklasse vergeben (Teckel mit Leistungszeichen) und an den besten Teckel der Offenen Klasse (ohne Leistungszeichen). Der Klubsieger wird auf der alle zwei Jahre stattfindenden Klubsiegerschau ermittelt.

Der »Dobermann-Verein e. V.« fordert für den »Deutschen Champion« fünf CAC's im Zeitraum von einem Jahr, wobei drei Anwartschaften unter drei verschiedenen Richtern gewonnen werden müssen, eine davon wiederum auf einer Internationalen Ausstellung. Ferner muß der Dobermann die Zuchttauglichkeitsprüfung mit HD (Hüftgelenksdysplasie)-Auswertung und mindestens SchH I nachweisen. Ferner gibt es den Clubsieger (DV-Sg), er wird in allen drei Farben vergeben, wenn der Hund mit V 1 bewertet wurde und die SchH-Prüfung sowie die Zuchttauglichkeitsprüfung mit Erfolg bestanden hat.
Der »Klub für Ungarische Hirtenhunde« fordert für seinen Klubsiegertitel drei Anwartschaften innerhalb von zwei Jahren. Im »Klub für Terrier« werden vier CAC für den »Deutschen Champion« gefordert, Mindestzwischenraum sind 366 Tage.
Der Airedale-Terrier benötigt für den »Deutschen Champion« ein Leistungskennzeichen (mindestens SchH I). Auf der jährlichen Klubsieger-Zuchtschau wird ferner der Klubsieger bei Rüden und Hündinnen ermittelt. Für die Terrier-Rassen gibt es auch den Jugend-Champion; dazu sind vier Anwartschaften (Wertnote »Vorzüglich«) notwendig.
Der »Deutsche Pudel-Klub e. V.« kennt eine ganze Reihe von Anwartschaften und Championaten. Wichtig in diesem Zusammenhang ist das »Nationale Schönheits-Championat«, die Anwartschaften dafür heißen »NCA«. Davon sind drei notwendig für die Erringung des Titels, und zwar unter zwei verschiedenen Richtern, Mindestzwischenzeit ein volles Kalenderjahr. Ferner gibt es JCA (Anwartschaft auf den Jugendchampion), KSA (Anwartschaft für den Klubsiegertitel des DPK), SCA (Anwartschaft auf das Siegerchampionat), ECA (Anwartschaft auf das Ehrenchampionat) und ACA (Anwartschaft auf das Alterschampionat).

Im »Verband der Pudelfreunde Deutschlands e. V.« benötigt man für den »Deutschen Champion« drei CAC unter drei verschiedenen Richtern, wobei zwischen dem ersten und dem dritten CAC ein Jahr liegen muß. Ferner gibt es auch hier den Jüngstensieger, den Jugendsieger, den Sieger-Champion, den Ehren-Champion und den Alters-Champion.
Der »Rassezuchtverein für Hovawart-Hunde e. V.« fordert für den Nationalen Champion fünf Anwartschaften, davon eine auf der Bundessieger-Zuchtschau oder auf der Clubsiegerausstellung. Diese Anwartschaften müssen unter vier Richtern in vier Landesgruppen erworben werden, ferner muß der Hund ein Abrichtekennzeichen haben.
Der »St. Bernhards-Klub e. V.« fordert für den »Deutschen Champion« dreimal »Vorzüglich I« unter drei verschiedenen Richtern. Ferner kennt man hier den WUSB-Sieger, der jährlich einmal verliehen wird. (WUSB heißt »Weltunion der St. Bernhards-Klubs«).

Der »Verband deutscher Kleinhundezüchter e.V.« kennt ebenfalls den Titel »Deutscher Champion«, er verlangt dafür vier CAC von drei verschiedenen Richtern. Ferner gibt es den jährlichen Verbandssieger, den Verbandsjugendsieger und den Landessieger (der einzelnen Landesgruppen).
Beim »Verein für Deutsche Schäferhunde e. V.« registriert man die Sieger der SV-Siegerhauptzuchtschau. Die Gewinner werden dabei nur in der Gebrauchshundklasse der Rüden und der Hündinnen ermittelt, und zwar siegt der Hund mit der ersten VA-Note (VA heißt »Vorzüglich-Auslese«).
Beim »Verein für Deutsche Spitze e. V.« ist der Vereinssieger (oder Clubsieger) gleichbedeutend mit dem »Deutschen Champion«. Jeder mit »Vorzüglich« bewertete Hund erhält automatisch die Anwartschaft auf die Auslesegruppe. Bei drei erworbenen Anwartschaften wird auf Antrag beim Hauptzuchtwart das Prädikat »Auslesegruppe« in die Ahnentafel eingetragen. Drei weiterhin errungene »Vorzüglich 1« berechtigen zur Führung des Siegertitels.
Im »Verein für Pointer und Setter e. V.« wird der Titel »Deutscher Schönheits-Champion« vergeben (neben dem »Deutschen Suchen-Champion« und dem »Deutschen Prüfungs-Champion«). Für den Schönheits-Champion verlangt der Verein drei Anwartschaften (CAC oder CACIB) unter zwei Richtern. Ferner ist mindestens ein III. Preis auf einer Frühjahrssuche oder auf einer Herbstprüfung des »Vereins für Pointer und Setter e. V.« vorgeschrieben. Zwischen der ersten und der zweiten Anwartschaft müssen zwölf Monate liegen.
Der »Weimaraner Klub e. V.« führt keinerlei Siegertitel und lehnt sie als Verein für Züchtung von Jagdgebrauchshunden ab.
Dieser keineswegs vollständige Überblick über die Situation bei den verschiedenen Klubs und Vereinen zeigt doch, daß die überwiegende Zahl auch der Gebrauchs- oder Jagdgebrauchshund-Vereine dem Ziel standardgerechter und in diesem Sinne schöner Hunde entscheidende Bedeutung beimißt. Schöne Hunde zu züchten, die gute Leistungen bringen – dies ist für diese Vereine vorrangiges Zuchtziel – und deswegen verschließen sie sich auch nicht der Konkurrenz auf Zuchtschauen.
Der »Jagdspaniel-Klub e. V.« vergibt für den Titel »Deutscher Champion« Siegeranwartschaften (keine CAC). Für den Titel sind vier Anwartschaften unter drei Richtern in zwei Landesgruppen notwendig; auch hier muß zwischen der ersten und der vierten Siegeranwartschaft ein zeitlicher Abstand von einem Jahr liegen. Höchste Auszeichnung ist der »Klubsieger«, er benötigt drei Anwartschaften unter zwei Richtern in zwei Landesgruppen (zwölf Monate Zwischenraum), dazu zweimal ein I. Preis auf Anlageprüfungen unter zwei Richterobleuten in zwei Prüfungszeiträumen. (Ein I. Preis auf Anlageprüfungen kann durch einen II. - Preis auf einer Gebrauchsprüfung ersetzt werden.)

Ein Blick über die Grenzen

Für viele Aussteller ist es zu einem besonderen Vergnügen geworden, mit ihren Hunden die Schauen im näheren und weiteren Ausland zu besuchen. Das betrifft nicht nur solche Aussteller, die beispielsweise zum Gewinn des Internationalen Schönheits-Championats der FCI ein ausländisches CACIB benötigen, sondern in der überwiegenden Zahl diejenigen, die aus reiner Freude an der Sache reisen und dabei andere Menschen, andere Städte, andere Ausstellungstypen kennenlernen wollen.

Deswegen sollen im Rahmen dieses Buches einige Anregungen und Tips vermittelt werden, die den einen oder den anderen vielleicht noch vorhandene Hemmungen überwinden lassen, sich ins Ausland zu begeben.

Zu den bekanntesten ausländischen Ausstellungs-Höhepunkten zählt alljährlich die »Mittelmeer-Woche«, die im Mai/Juni an der schönsten Ecke des Mittelmeers

Ausstellung in Monte Carlo.

SOCIÉTÉ CANINE DU BAS-RHIN

affiliée à la Société Centrale Canine

Siège social: 173, route de Lyon - **67400 Illkirch-Graffenstaden**

EXPOSITION CANINE INTERNATIONALE

C.A.C.B. **TOUTES RACES** **C.A.C.I.B.**

DIMANCHE 17 MAI 1981

STRASBOURG - Locaux de la Foire Européenne du Wacken

SPÉCIALES:

BERGERS BELGES - BERGERS PICARDS - BERGERS DES PYRÉNÉES -BERGERS DE BEAUCE - BERGERS D'ÉCOSSE - BULLMASTIFFS ET MASTIFFS - BOXERS - MONTAGNE DES PYRÉNÉES - DOBERMANNS - BRAQUES DE WEIMAR - ÉPAGNEULS DE MUNSTER - SCHNAUZERS ET PINSCHERS -SLOUGHIS - WHIPPETS.

PATRONÉE: DALMATIENS

ENGAGEMENTS:

Mme MILLEMANN Vonette - 12, rue de Reimerswiller - 67250 SOULTZ-sous-FORÊTS.

CLÔTURE DES ENGAGEMENTS: 11 avril 1981

Les demandes d'engagements non accompagnées de leur montant ne seront pas retenues.

DOTATION DE L'EXPOSITION

- Coupes à tous les C.A.C.I.B. - R.C.A.C.I.B. - C.A.C.B. - R.C.A.C.B.
- Prix à tous les EXCELLENTS (Prix non cumulables).
- Récompense à tous les «TRÈS BONS».
- Prix en espèces aux meilleurs lots d'élevage (jugés sur 5 chiens).

1000 F au premier
800 F au second
600 F au troisième
400 F au quatrième
200 F au cinquième.

- Diplôme sur demande (participation aux frais 30,– F).

CONFIRMATION *pour les chiens engagés à l'exposition, dans toutes les races, sauf certains chiens courants et chiens de chasse (consulter la liste à l'intérieur du dépliant sous le paragraphe confirmation).*

 Einladung für eine ausländische Ausstellung.

stattfindet, nämlich in San Remo, Monte Carlo und Nizza. Innerhalb einer Woche hat der Aussteller die Möglichkeit, ohne sehr weit reisen zu müssen, in drei Ländern unter jeweils anderen Richtern seine Hunde zu zeigen – und, wenn er viel Glück hat, eventuell sogar dreimal das CACIB zu gewinnen.
Man muß den Auftrieb, die Stimmung und das Drumherum dieser drei Ausstellungen einmal erlebt haben, um zu verstehen, warum die »Mittelmeer-Woche« alljährlich Tausende anzieht, aus vielen Ländern kommen sie angereist und genießen vor allem in San Remo und in Monte Carlo die einmalige Atmosphäre der weithin im sonnigen Freien veranstalteten Schauen.
In Frankreich ist es vor allem die alljährliche Pariser Championats-Ausstellung, die in Kreisen der Hundefreunde weit über Frankreich hinaus ihre Anziehungskraft ausübt. Paris bietet zwar nicht die herrliche Umgebung wie die Städte am Mittelmeer, aber auch eine Ausstellung mit viel Flair und meist guten Hunden. Die »Winner«-Ausstellung in Amsterdam gehört ebenso zu den jährlichen Ausstellungs-Attraktionen in Europa, wie die für Mitteleuropäer gerade noch einigermaßen bequem erreichbare Internationale Ausstellung im Herzen Barcelonas, die Österreichische Bundessieger-Ausstellung in Wien-Tulln, die von der Umgebung so faszinierende Ausstellung in Bellagio am Comer See, die traditionelle Ausstellung im belgischen Spa oder die meist quantitativ eindrucksvolle Budapester Ausstellung.
Dies sind nur einige ganz wenige Beispiele für sehr attraktive Reiseziele mit dem Hund. Wer die Zeit und das Geld dazu hat, sollte sich im Laufe seines Aussteller-Daseins so etwas nicht entgehen lassen.
So ist es auch kein Wunder, daß viele deutsche Hunde inzwischen in einigen Ländern nationale Siegertitel errungen haben. Die Bedingungen dafür seien im folgenden zusammengestellt, wobei auch diese Aufzählung nicht vollständig sein kann; sie berücksichtigt vor allem diejenigen Länder, die am häufigsten von deutschen Ausstellern besucht werden.

In Luxemburg findet alljährlich im Frühjahr eine Internationale Rassehunde-Ausstellung statt (1981 war es bereits die 35. Ausstellung!), auf der ein inzwischen sehr begehrter Titel vergeben wird, nämlich der »Champion de Beaute de Luxembourg«. Dieses Luxemburger Championat erhält derjenige Hund, der auf dieser Ausstellung das CACIB gewonnen hat. Weitere Voraussetzungen sind nicht notwendig. Weil dieser Championats-Titel an einem Tag zu gewinnen ist, erfreut sich Luxemburg jährlich steigender Beliebtheit bei den Ausstellern. Außerdem kann in Luxemburg vom Richter bei einem »außergewöhnlich schönen Tier« der Titel »Jugendsieger Luxemburg« vergeben werden. Nach dem FCI-Reglement wird der »Champion Luxemburg« nur aus Hunden der Offenen Klasse, der Siegerklasse und der Gebrauchshundklasse ermittelt.

Für die Schweiz hat die »Schweizerische Kynologische Gesellschaft« den Titel »Schweizer Schönheitssieger« geschaffen. Für diesen Siegertitel braucht ein Hund drei CAC, wovon zwei bei Internationalen Ausstellungen gewonnen werden müssen. (Die bekanntesten sind Bern, Langenthal, Lausanne.) Das dritte CAC kann an einer durch die SKG (Schweizerische Kynologische Gesellschaft) bewilligten CAC-Ausstellung eines Rasseklubs erworben werden. Zwischen dem ersten und dem dritten CAC müssen 365 Tage liegen. Auch hier kann das CAC nur in der Offenen Klasse, der Siegerklasse und in der Gebrauchshundklasse gewonnen werden. Einige Rasseklubs in der Schweiz haben für die Erlangung des Siegertitels noch besondere Bedingungen gestellt. Einige fordern für Jagdhunde bestimmte Prüfungen, andere verlangen die Vorlage eines HD-Attestes, wieder andere setzen eine Zuchttauglichkeitsprüfung voraus.

Österreich hat eine ganze Reihe attraktiver Ausstellungen, zu denen zu reisen sich allein der schönen Umgebung wegen lohnt. Neben Wien-Tulln seien Graz, Klagenfurt, Linz, Salzburg oder Dornbirn als Austragungsorte Internationaler Zuchtschauen genannt. Der Titel »Österreichischer Champion« (ÖCH) wird dem Hund zuerkannt, der auf vier Internationalen Ausstellungen in Österreich das CACA unter drei verschiedenen Richtern gewonnen hat. Zwischen dem ersten und dem vierten CACA muß mindestens ein Jahr vergangen sein. Zwei CACA können auch auf nationalen Ausstellungen in Österreich erworben werden. Anstelle der genannten Nationalen Ausstellungen kann ein CACA anerkannt werden, das auf einer vom Österreichischen Kynologen-Verband geschützten Klubsiegerschau verliehen wurde. Besondere Erschwernisse gibt es in Österreich für die jagenden und nichtjagenden Gebrauchshunde. Sie müssen für den Titel »Österreichischer Champion« eine Prüfung nachweisen. Außerdem müssen diese Hunde drei CACA in der Gebrauchshundklasse erreichen. Die Bestimmungen über die Prüfungen einzelner Vereine und Klubs veröffentlicht der ÖKV beispielsweise in seinen Katalogen bei Internationalen Zuchtschauen. Ohne Zweifel sind die Anforderungen für den »Österreichischen Champion« gerade für die Gebrauchshunde sehr hoch.

In der Tschechoslowakei wird der Titel »Champion CSSR« allein auf der Internationalen Hundeausstellung aller Rassen in Brünn vergeben. Dabei konkurrieren laut Ausschreibung die Rüden und Hündinnen, die in der Offenen Klasse, in der Siegerklasse und in der Gebrauchshundklasse mit »Vorzüglich I« und »Vorzüglich II« bewertet wurden, im engeren Wettbewerb um den Siegertitel.

In den Niederlanden sind für das »Holländische Championat« vier CAC notwendig. Es können aber auch drei CAC genügen, wenn ein CAC auf der Winner-Ausstellung in Amsterdam oder auf einem Championatsclubmatch eines Spezialclubs erreicht wurde. Vier Reserve-CAC zählen für ein CAC. Insgesamt muß der Hund

die CAC's unter wenigstens zwei Richtern gewonnen haben. Das Mindestalter beim letzten CAC beträgt 27 Monate. Anders als in den meisten Ländern wird in Holland das CAC in allen Klassen in Wettbewerb gestellt.
Im Nachbarland Belgien wird das CAC ebenfalls in der Offenen Klasse, in der Gebrauchshundklasse, in der Siegerklasse in Wettbewerb gestellt. Der Belgische Champion benötigt drei CAC auf Ausstellungen, die von der Societé Royale Saint-Hubert geschützt wurden. Ferner sind zwei verschiedene Richter notwendig, und ein CAC muß in Brüssel gewonnen worden sein. Auch in Belgien finden alljährlich eine ganze Reihe gut besuchter Ausstellungen statt, die Anteilnahme des Publikums ist immer beträchtlich. Manchmal hat der ausländische Besucher den Eindruck, ganze Städte verbrächten ihre Wochenenden in den Ausstellungs-

N° du Chien : 488

F. C. I.

Classe : Open.

C. A. C. M.

MONTE-CARLO

EXPOSITION CANINE INTERNATIONALE

Année : 1975

Le Juge : J de Casembroot

CAC-Qualifikationskarte Monte Carlo.

hallen. Besonders bekannt sind die Internationalen Ausstellungen in Brüssel, Spa, Gent, Namur, Antwerpen und Kortrijk.
Von den reizvollen Plätzen des Mittelmeers war schon am Anfang dieses Kapitels die Rede. Vielleicht der große Höhepunkt der Mittelmeer-Woche ist Monte Carlo, wo direkt an der Strandpromenade die jährliche Internationale Ausstellung stattfindet. Für den begehrten Titel »Champion de Monaco« benötigt ein Hund zwei CAC, die er nur in der Offenen Klasse und in der Gebrauchshundklasse erreichen kann. Die Siegerklasse-Hunde konkurrieren zwar um das CACIB, nicht aber um die Anwartschaft für das Landes-Championat von Monaco. Die beiden CAC's müssen ferner von zwei Richtern vergeben worden sein. Hat ein Hund den Titel »Champion de Monaco« gewonnen, darf er in Monte Carlo nur noch in die Siegerklasse gemeldet werden.
In Italien sind die Vorgaben der E.N.C.I. auf den ersten Blick etwas kompliziert. Für Rassen, die von einem Spezialklub betreut werden, sind für die »Campioni Italiani di Bellezza« vier CAC notwendig, davon mindestens zwei auf einer Internationalen Ausstellung. Ein CAC muß auf einer Championats-Ausstellung (Esposizioni di campionato) gewonnen werden, wobei eine solche Ausstellung nur einmal im halben Jahr überhaupt stattfindet. Ferner benötigt ein Hund dieser Gruppe ein »Vorzüglich I«, und zwar vergeben auf einer von einem Spezialklub organisierten Ausstellung. Für Rassen, die nicht von einem Spezialklub betreut werden, sind fünf CAC notwendig, davon mindestens zwei von einer Internationalen Ausstellung und eines von einer Championats-Ausstellung. In beiden Fällen müssen vier verschiedene Richter die CAC's vergeben haben. Wenn eine Rasse laut FCI-Reglement einer Arbeitsprüfung unterliegt, muß in Italien eine solche Prüfung abgelegt werden.

Auch in Frankreich sind die Vergabebedingungen für den »Champion de Beauté Francais« für die verschiedenen Vereine unterschiedlich geregelt. Vereine, die keine eigene Sonderschau durchführen, also die weniger bekannten oder nicht organisierten Rassen, benötigen für den Siegertitel: das CACB von Paris (Championats-Ausstellung), drei CACB's, davon zwei auf Internationalen Schauen oder ein CACIB. Dabei sind vier verschiedene Richter vorgeschrieben. Bei Vereinen, die Sonderschauen auf Ausstellungen für alle Rassen durchführen, gilt: die Vereine müssen mindestens zwei bis drei Sonderschauen organisieren auf CACIB-Ausstellungen. Die hier in Frage kommenden Hunde brauchen das CACB von Paris, ein CACB innerhalb einer Sonderschau auf einer CACIB-Ausstellung, ein CACB von einer nationalen Ausstellung – wobei die drei CACB unter drei verschiedenen Richtern erreicht werden müssen. Dann die Vereine, die jährlich eine nationale Zuchtschau veranstalten (sie müssen mindestens 50 Meldungen nachweisen – von einer oder mehreren Rassen – abhängig vom Verein oder abhängig aus den Grup-

REAL SOCIEDAD CANINA DE CATALUÑA
afiliada a la
REAL SOCIEDAD CENTRAL DE FOMENTO DE LAS RAZAS CANINAS EN ESPAÑA
VÍA LAYETANA, 9, 4.°, 3.ª - BARCELONA - 3 - TELÉFONO 319 33 68

EXPOSICION · INTERNACIONAL CANINA
Propuesta de
C.A.C.I.B.
(Certificado de Aptitud al Campeonato Internacional de Belleza)

Al ejemplar n.° 556
Clase Campeonal
Barcelona, Junio 77
El Juez,

Spanische CACIB-Bestätigung.

pen 5 und 6). Diese Hunde brauchen das CACB von Paris oder das CACB einer Nationalen Zuchtschau (bei Gebrauchshunden mit einer entsprechenden Bewertung, bei Jagdhunden mit der vorgeschriebenen Arbeitsprüfung). Ferner benötigen sie das CACB auf einer CACIB-Ausstellung und ein CACB von einer Nationalen Ausstellung. Hunde mit vorgeschriebener Arbeitsprüfung erhalten das CACB von Paris nicht bestätigt, wenn in dem folgenden Jahr oder vorher keine Arbeitsprüfung abgelegt worden ist. Auch hier müssen drei verschiedene Richter das CACB vergeben. Schließlich wird noch von den Vereinen unterschieden, die jährlich eine Nationale Zuchtschau durchführen (ein einziger Titel im Jahr). Diese Ausstellung muß ebenfalls mindestens 50 Meldungen nachweisen, von einer Rasse oder mehreren, in Vereinen organisiert. Notwendig sind ferner das obligatorische CACB von Paris, das CACB einer nationalen Zuchstschau mit den entsprechenden Bedingungen für Hunde mit Leistungskennzeichen oder Arbeitsprüfung, ein

CACB von einer nationalen Ausstellung. Alle drei CACB müssen von verschiedenen Richtern vergeben werden. Der französische Ausstellungskalender ist alljährlich ganz besonders reich bestückt, die Auswahl in allen Teilen des Landes ist groß. Bekannt neben Paris sind vor allem die Ausstellungen in Nizza, Marseille, Deauville, Straßburg, Toulouse und Evian. Alles Ziele, die zu erreichen es gewiß einmal lohnt.

In dieser Übersicht soll auch Ungarn nicht fehlen. Für den Landes-Champion sind drei CAC verlangt, die in der Offenen oder der Gebrauchshundklasse gewonnen werden müssen, davon mindestens eines auf einer Internationalen Ausstellung. Zwei verschiedene Richter sind vorgeschrieben; zwischen dem ersten und dem dritten CAC muß ein Jahr liegen. Rassen, die eine Arbeitsprüfung ablegen, müssen diese vor der Titelvergabe nachweisen.

In Polen, wo deutsche Aussteller inzwischen häufiger vertreten sind, muß dreimal das CWC auf drei verschiedenen Ausstellungen unter drei Richtern erreicht werden.

Spanien schließlich verlangt für den Nationalen Champion vier CAC. Eines davon muß in Madrid vergeben worden sein. An den vier CAC müssen mindestens zwei Richter beteiligt gewesen sein. In Spanien kommt erschwerend hinzu, daß das CAC allein in der Offenen Klasse vergeben wird. Die Vergabebestimmungen einzelner Rassehunde-Vereine richten sich nach den Bedingungen, die vorher in der »Real Sociedad Central« genehmigt worden waren.

Richtlinien der verschiedenen Organisationen

Auszüge aus der Zuchtschauordnung des VDH

1. Begriffsbestimmung und Zuständigkeit. Zuchtschauen sind eine zuchtfördernde Einrichtung. Sie sind öffentliche Veranstaltungen, die der Bewertung von Rassehunden im Eigentum in- oder ausländischer natürlicher Personen dienen. Folgende Zuchtschauen bedürfen der Genehmigung durch die Hauptgeschäftsstelle des Verbandes für das Deutsche Hundewesen e. V.:

1. Internationale Rassehundzuchtschauen,
2. Allgemeine Rassehundzuchtschauen,
3. Spezialzuchtschauen, auf denen der VDH Siegertitelanwartschaften vergibt.

CACIB-Schauen bedürfen zusätzlich der Genehmigung durch die F.C.I. Zur Bearbeitung aller einschlägigen Fragen unterhält der VDH am Sitz seiner Hauptgeschäftsstelle eine Terminschutzstelle.

...

5. Programm, Meldeformular und Katalog. Das Programm für Internationale und Allgemeine Rassehundezuchtschauen ist der Terminschutzstelle vor Drucklegung als Korrekturabzug zur Überprüfung vorzulegen. Die Terminschutzstelle hat kurzfristig zu dem Korrekturabzug Stellung zu nehmen. Das Programm muß über Veranstalter, Zuchtschauleitung, Termine, Tagesplan, Richtereinsatz, Rassen- und Klasseneinteilung sowie Wertnoten, Anwartschaften und Siegertitel erschöpfend Auskunft geben, wobei hervorzuheben ist, daß auf die drei Letztgenannten kein Rechtsanspruch besteht. Die Zuchtschauleitung ist berechtigt, aus wichtigen Gründen einen Richterwechsel vorzunehmen.
Darüber hinaus ist an auffälliger Stelle derjenige Stichtag einzudrucken, vor dem ein Hund geworfen sein muß, um die Mindestaltervorschrift von neun Monaten, bei Jüngstenklasse sechs Monaten, zu erfüllen. (Beispiel: Findet eine Zuchtschau am 15. Oktober 19.. statt, muß es heißen: »Zugelassen sind nur Hunde, die vor dem 16. Januar 19.. bei Jüngstenklasse vor dem 16. April 19.. geworfen sind.«)
Als Meldeformular darf nur der einheitliche Vordruck Verwendung finden, den der VDH herausgibt. Bestellungen müssen mindestens vier Wochen vor dem gewünschten Liefertermin unter Mitteilung des Eindrucktextes bei der Terminschutzstelle eingegangen sein.

Für sämtliche Zuchtschauen ist die Anfertigung eines Kataloges vorgeschrieben. Für Allgemeine und Internationale Zuchtschauen ist eine gedruckte Ausführung unter Einschluß eines alphabetisch geordneten Ausstellerverzeichnisses mit Anschriftenangaben und zugehörigen Katalognummern zulässig. Die Veranstalter von Spezialzuchtschauen können sich eines einfachen Vervielfältigungsverfahrens bedienen. Jeder Aussteller ist zur Übernahme eines Katalogs verpflichtet; weitere Exemplare können am Schautage zum Verkauf stehen... Die Aufnahme von sogenannten Nachmeldungen in Gestalt eines Nachtrages oder A-Nummern im Katalog ist nicht gestattet. Es gilt die Rasseneinteilung des jeweils gültigen FCI-Reglements. Auf sämtlichen Drucksachen, die aus Anlaß einer Zuchtschau angefertigt werden, insbesondere auf Programmen, Meldeformularen und Katalogen, ist deutlich herauszustellen, daß die Veranstaltung vom VDH, bei internationalen Zuchtschauen von der F.C.I., genehmigt und geschützt ist.

6. Zulassung. a Zugelassen sind nur Rassehunde, die in ein vom VDH anerkanntes Rassezuchtbuch beziehungsweise Register eingetragen sind und das vorgeschriebene Mindestalter von neun Monaten, bei Jüngstenklasse von sechs Monaten, am Tag der Zuchtschau vollenden. Hunde im Eigentum von Richtern, die auf der betreffenden Zuchtschau tätig sind und von mit ihm in Hausgemeinschaft lebenden Familienangehörigen und sonstigen Personen dürfen ausgestellt werden, wenn an dem betreffenden Zuchtschautag ein anderer Richter richtet. Hunde im Eigentum von Sonderleitern können in Ausnahmefällen mit schriftlicher Zustimmung des Zuchtschauleiters zugelassen werden. Personen, die durch Beschluß von allen Veranstaltungen des VDH ausgeschlossen wurden oder einer vom VDH nicht anerkannten Organisation angehören, dürfen keinen Hund ausstellen. Kranke, krankheitsverdächtige und mit Ungeziefer behaftete Hunde werden abgewiesen. Die Entscheidung steht allein der Zuchtschauleitung oder einem von ihr eingesetzten Kontrollorgan zu. Wer kranke Hunde in die Zuchtschau einbringt, haftet für die Folgen, die dadurch entstehen. Nicht im Katalog aufgeführte Hunde sind nicht zugelassen; es sei denn, die Aufnahme in den Katalog ist versehentlich durch die Zuchtschauleitung unterblieben. Örtliche veterinärbehördliche Vorschriften sind in jedem Fall bindend.
b Die Abgabe der Meldung verpflichtet zur Zahlung der Meldegebühren in jedem Falle und zur Anerkennung der Zuchtschauordnung. Die Abnahme eines Kataloges durch jeden Aussteller ist Pflicht. Anmeldungen können nicht mehr zurückgezogen werden. Nur bei Terminverlegung ist eine Zurückziehung der Meldung innerhalb der von der Zuchtschauleitung gesetzten Frist möglich. Bei Terminverlegung genügt die briefliche Benachrichtigung an den Besitzer des gemeldeten Hundes durch die Zuchtschauleitung. Werden bei Verlegung des Veranstal-

tungstermins die einmal erfolgten Meldungen nicht der von der Zuchtschauleitung gesetzten Frist schriftlich zurückgezogen, so gelten sie als für den neu festgesetzten Veranstaltungsgermin rechtmäßig abgegeben.
Die Zuchtschauleitung ist berechtigt, Meldungen ohne Nennung von Gründen zurückzuweisen. Ist der gemeldete Hund bereits in den Katalog aufgenommen worden und liegt die Annahmekarte vor, so kann die Zurückweisung nur mit Bekanntgabe der Begründung, die in jedem Fall dem Aussteller mitzuteilen ist, erfolgen.
c Ein Hund kann durch seinen Eigentümer oder einen Beauftragten nur unter dem im Zuchtbuch eingetragenen Namen gemeldet und ausgestellt werden. Wer wissentlich falsche Angaben macht oder Veränderungen oder Eingriffe an seinem Hund vornimmt oder vornehmen läßt, die geeignet sind, den Richter zu täuschen, geht zuerkannter Bewertungen und Preise verlustig und wird von weiteren Zuchtschauen ausgeschlossen.

Das Werturteil des Zuchtrichters ist grundsätzlich verbindlich. Wer einen Richter beleidigt oder dessen Bewertung öffentlich kritisiert, kann von dieser oder von weiteren Zuchtschauen ausgeschlossen werden. Formelle Fehler müssen dem Zuchtschauleiter oder Sonderleiter am Tage der Veranstaltung vorgetragen werden.
d Die zur Zuchtschau angenommenen Hunde (Annahmebestätigung muß vorliegen) sind innerhalb der im Programm und in der Annahmebestätigung angegebenen Einlaßzeit einzubringen. Jeder an der Zuchtschau teilnehmende Hund ist an dem durch die Zuchtschauleitung kenntlich gemachten Liegeplatz so zu befestigen, daß ein Entweichen ausgeschlossen ist. Entweicht ein Hund ohne das Zutun eines Dritten, so ist der Besitzer für die sich daraus ergebenden Folgen haftbar. Für jeden zur Zuchtschau angenommenen Hund hat eine Person freien Einlaß. Bissige Hunde sind im Meldeschein als solche zu bezeichnen und vom Zeitpunkt des Betretens bis zum Verlassen der Zuchtschau mit Maulkorb zu versehen. Die Besitzer der ausgestellten Hunde haften für alle Schäden, die durch ihre Hunde angerichtet werden, nach dem BGB.
e Hunde, die auf Allgemeinen Rassehundezuchtschauen und auf Internationalen Rassehundezuchtschauen in Boxen oder in Käfigen untergebracht sind, dürfen nur zur Bewertung durch die Zuchtrichter, zur Teilnahme am Zuchtgruppenwettbewerb und zum Lösen von den durch die Zuchtschauleitung kenntlich gemachten und dem Aussteller zugewiesenen Plätzen (Boxen/Liegeplätzen) entfernt werden.
f Nur die zur Zuchtschau angenommenen Hunde dürfen eingebracht werden (Annahmebestätigung muß vorliegen).

g Ausgestellte Hunde dürfen die Zuchtschau vor Veranstaltungsschluß grundsätzlich nicht verlassen.
h Für die rechtzeitige Vorführung der Hunde sind die Aussteller selbst verantwortlich. Die Ahnentafeln der gemeldeten Hunde und Leistungsurkunden bei Gebrauchshunden sind auf Anforderung vorzulegen. Der Nachweis etwaiger Siegertitel ist gegebenenfalls zu erbringen. Die Katalognummer ist von der den Hund vorführenden Person deutlich sichtbar zu tragen.
i Den Anweisungen der Zuchtschauleitung und ihrer Beauftragten ist Folge zu leisten.
...

7. Klasseneinteilung, Doppelmeldung und Versetzen. Die Klasseneinteilung ist dem vom VDH herausgegebenen Meldeformular zu entnehmen. Sie kann für die einzelnen Rassen verschieden sein. Doppelmeldungen sind unzulässig. Das Versetzen eines Hundes in eine andere Klasse als gemeldet ist nur möglich, wenn dieser in bezug auf Alter, Geschlecht, Farbschlag, Haarart, mangels Ausbildungskennzeichen oder anderer Voraussetzungen in eine falsche Klasse geraten ist, außerdem dann, wenn der Hund durch die Schuld der Zuchtschauleitung in eine falsche Klasse eingereiht worden ist. Ein solcher Fall ist durch die Beiziehung des Meldeformulars am Tage der Veranstaltung zu klären. Untersagt ist es, einen Hund auf Wunsch eines Ausstellers hin zu versetzen, ohne daß obige Bedingungen vorliegen. Für CACIB-Zuchtschauen gilt die Klasseneinteilung des FCI-Reglements für das Ausstellungswesen.

8. Meldegelder. Das Meldegeld setzt sich zusammen aus:
a Klassengeld, b Zuchtschaubeitrag, c Katalogpreis.
Der Zuchtschaubeitrag wird durch die jeweils gültige VDH-Gebührenordnung geregelt.
...
Für alle im Katalog aufgeführten Hunde ist der Zuchtschaubeitrag abzuführen, und zwar auch dann, wenn Hunde aus irgendwelchen Gründen nicht erscheinen können. Diese Beiträge sind spätestens eine Woche nach Durchführung der Zuchtschau an den VDH zu überweisen.
Für den Zuchtgruppenwettbewerb setzt die Zuchtschauleitung die Teilnehmergebühren fest.

9. Wertnoten. Bei allen Veranstaltungen können folgende Wertnoten vergeben werden:
Vorzüglich, Sehr gut, Gut, Genügend, Ungenügend.

Für die Jüngstenklasse: vielversprechend – versprechend – guter Nachwuchs. Ein Hund, der sich nicht beurteilen läßt, bleibt »ohne Bewertung«. Als »zurückgezogen« gilt ein Hund, der vor Beginn des Bewertungsvorgangs aus dem Ring genommen wird. Als »nicht erschienen« wird ein Hund behandelt, der nicht zeitgerecht im Ring vorgeführt wurde. Der Verein für Deutsche Schäferhunde e. V. (SV) behält seine bisherigen Bewertungsnoten bei.

10. **Reihenfolgeplacierungen.** Die vier besten Hunde einer Klasse erhalten Reihenfolgeplazierungen, sofern sie mit V oder Sg bewertet worden sind. Vergeben werden nur ein 1., 2., 3. und 4. Preis; weitere Reihenfolgeplazierungen gibt es nicht. Erscheint in einer Klasse nur ein Hund und wird ihm die Wertnote V oder Sg zuerkannt, so erhält auch er die Bewertung »Vorzüglich 1« beziehungsweise »Sehr gut 1«. Hunde in der Ehrenklasse und »Außer Konkurrenz« gemeldete erhalten keine Reihenfolgeplazierungen.
Die Plazierung bis zum letzten Hund der Klasse ist nicht zulässig. Die Beschränkung der Reihenfolgeplazierungen hat auf die Vergabe von Ehrenpreisen beziehungsweise Ehrengaben durch die Zuchtschau- und Sonderleitung keinen Einfluß.

...

12. Auf sämtlichen vom VDH und der FCI geschützten Zuchtschauen dürfen nur die in der Richterliste des VDH aufgeführten Richter tätig werden. Die Berufung eines Richters zu einer ausländischen Ausstellung kann durch den Vorstand ohne Angabe von Gründen verweigert werden. Auf Allgemeinen und Internationalen Zuchtschauen bedarf ihre Berufung der Genehmigung durch die Zuchtschauleitung, wenn sie im Rahmen von Sonderschauen eingesetzt werden. Ausländische Richter werden nur dann zugelassen, wenn der VDH sein Einverständnis erteilt hat; ihre Zulassung ist rechtzeitig beim VDH zu beantragen. Vor ihrer Tätigkeit müssen ausländische Richter von einem sachkundigen Helfer eingewiesen werden. Beherrschen sie die deutsche Sprache nicht, so hat der Sonderleiter des Zuchtvereins, der die Einladung veranlaßt hat, einen Dolmetscher bereitzustellen. Richteranwärter für eine Rasse dürfen nur mit Zustimmung ihres Rassezuchtvereins beziehungsweise des Sonderleiters zugelassen und nur dann tätig werden, wenn sie im Katalog mit ausgedruckt sind...

...

14. **Zuchtgruppenwettbewerb.** Für alle Zuchtschauen kann ein Zuchtgruppenwettbewerb ausgeschrieben werden. Zuchtgruppen bestehen aus mindestens drei Hunden einer Rasse aus gleichem Zwinger, also mit gleichem Zwingernamen und

von ein und demselben Züchter gezüchtet. Sie müssen am gleichen Tage bei der Einzelbewertung mindestens die Wertnote »Gut« erhalten haben. Alle gemeldeten Zuchtgruppen nehmen am Zuchtgruppenwettbewerb teil. Auf Zuchtschauen, bei denen nicht mehr als 30 Zuchtgruppen gemeldet sind, kann der Zuchtgruppenwettbewerb in einem Bewertungsvorgang durchgeführt werden. Auf Zuchtschauen, bei denen mehr als 30 Zuchtgruppen gemeldet sind, kann der Zuchtgruppenwettbewerb in zwei Bewertungsvorgängen vorgenommen werden. Aus den beiden Bewertungsvorgängen werden je sechs Gruppen in den Spitzenzuchtgruppenwettbewerb entsandt.

Auch für Zuchtgruppenwettbewerbe sind Nachmeldungen unzulässig. Es ist den Zuchtschauleitungen und den Rassezuchtvereinen freigestellt, einen Nachzuchtwettbewerb durchzuführen. Als Nachzuchtgruppen gelten sämtliche Nachkommen eines Rüden oder einer Hündin. Eine solche Nachzuchtgruppe besteht aus mindestens fünf Nachkommen beiderlei Geschlechts.

Für den Zuchtgruppenwettbewerb und den Nachzuchtwettbewerb müssen drei Richter tätig sein, von denen einer anerkannter Zuchtgruppenrichter für alle Rassen sein muß. Auf manchen internationalen Schauen findet kein Zuchtgruppenwettbewerb statt, dafür aber ein Gruppenwettbewerb, in dem der beste Hund der 10 Gruppen nach der FCI-Einteilung ermittelt wird; dieser Hund wird dann »Bester Hund der Schau«.

15. Vorführung der besten Hunde. Es liegt im Interesse des Hundewesens, den Ausstellern und Besuchern die Erringer des CACIB-Vorschlages oder der Titel »Deutscher Bundessieger« oder »Europasieger« vorzuführen. Hierbei kann der beste Hund der Zuchtschau ermittelt werden, gegebenenfalls unter Mitwirkung des Publikums. Bei dieser Vorführung sollen alle beteiligten Hunde mit gleichen Preisen, das heißt Plaketten, Erinnerungsgaben und dergleichen bedacht werden.

16. Sonderschauen. Rassezuchtvereine oder deren Untergliederungen können Internationalen oder Allgemeinen Zuchtschauen Sonderschauen für die von ihnen vertretenen Rassen anschließen. Damit erhalten sie das Recht, einen oder mehrere Richter ihrer Wahl zu bestellen, sofern die Zuchtschauleitung nicht gemäß 12. Absatz 1, Satz 2, dieser Zuchtschau-Ordnung ihre Genehmigung aus grundsätzlichen Erwägungen versagt, ferner besondere Preise oder Siegeranwartschaften auszuschreiben und einen Anspruch auf teilweise Rückvergütung des Klassengeldes. Grundlage der Berechnung ist die Zahl der auf die Sonderschau bezahlten Meldungen. Andererseits unterliegen die sich beteiligenden Rassezuchtvereine der Verpflichtung, einen Sonderleiter und Ringpersonal zu stellen, die Richterkosten und sonstigen Vergütungen zu übernehmen und für die Beschaffung von Preisen zu sorgen.

Sofern eines der Rechte beziehungsweise eine der Pflichten durch besondere Vereinbarung abweichend geregelt wird, muß das in der Bemessung der Rückvergütung entsprechend zum Ausdruck kommen.

17. Kennzeichnung und freier Eintritt. Als Kennzeichen für die Mitarbeiter sind für alle Zuchtschauen Ansteckschilder (zum Teil auch mit Anschriften) zu verwenden:
Zuchtschauleiter, Technischer Leiter, Richter, Richteranwärter, Sonderleiter, Ringsekretär, Zuchtschau-Ordner.

18. Einsprüche. Einsprüche gegen formelle Fehler, die durch die Tätigkeit der Richter beziehungsweise Zuchtschauleitung oder Sonderleitung entstanden sind, müssen dem Zuchtschauleiter oder dem Sonderleiter am Veranstaltungstage schriftlich vorgetragen werden. Falls am Schautage eine Klärung nicht herbeigeführt werden kann, ist der Vorgang über den Ausstellungsausschuß dem Vorstand des VDH zur Entscheidung vorzulegen.

Auszüge aus dem Ausstellungsreglement der Fédération Cynologique Internationale (FCI)

Artikel 1. Dieses Reglement vervollständigt das Reglement der FCI für solche Ausstellungen, auf denen die Vergabe der Anwartschaft zum Internationalen Schönheits-Champion (CACIB) in Wettbewerb gestellt wird.
Es hat den Zweck,

□ den Austausch der Richter zwischen den angegliederten Ländern zu erleichtern,

□ ihre Aufgabe dadurch zu erleichtern, daß sie in allen Ausstellungen, zu denen sie zum Richten eingeladen sind, stets das gleiche Reglement vorfinden,

□ den Ausstellern zu gewährleisten, daß in jedem fremden Land, in das sie sich begeben, auf den Ausstellungen, zu denen sie dort ihre Hunde anmelden, immer das gleiche Reglement zur Anwendung kommt.

Das Reglement gilt nur auf Ausstellungen, auf denen das CACIB in Wettbewerb gestellt wird. Für Ausstellungen mit nationalem Charakter bleibt jedes Land Herr seiner eigenen Reglements.

Artikel 2. Die Ausstellungen, auf denen der CACIB-Wettbewerb von der FCI genehmigt ist, müssen wie folgt benannt werden: »Internationale Hundeausstellung mit CACIB der FCI«. Bei Nichtbefolgung können folgende Strafmaßnahmen ergriffen werden:

1. Ablehnung der Bestätigung der verliehenen CACIB durch die FCI.

2. Bei wiederholtem Zuwiderhandeln Verbot der FCI, das CACIB während eines Jahres hindurch oder mehrere Jahre lang zum Wettbewerb zu stellen.

...

Der Katalog der Ausstellungen, auf denen die CACIB-Vergabe stattfinden soll, muß unbedingt und gut sichtbar die Bemerkung Fédération Cynologique Internationale (FCI) enthalten.

Artikel 5. Zu den Ausstellungen, auf denen das CACIB erworben werden kann, sind nur folgende Klassen zugelassen:

1. Klassen, in denen das CACIB vergeben wird:

Offene Klasse,

Arbeitsklasse (Gebrauchshundklasse),

Siegerklasse (Internationale und nationale Siegertitel).

Zu diesen drei Klassen sind nur Hunde zugelassen, die das Mindestalter von 15 Monaten bei Eröffnung der Ausstellung erreicht haben.

Die doppelte Meldung zu diesen beiden Klassen ist verboten.

...

2. Klassen, die keinen Anspruch auf das CACIB erheben können: Jugendklasse (von neun bis 24 Monate)

Die in dieser Klasse gemeldeten Hunde können nicht zum Wettbewerb um das CACIB antreten. Folglich ist gleichzeitige Meldung eines Hundes für die »Offene Klasse« oder die »Arbeitsklasse« und die »Jugendklasse« untersagt.

3. Klassen, die im Bereich des VDH zusätzlich, gestützt auf die VDH-Zuchtschauordnung und das FCI-Reglement zugelassen werden, ohne Anspruch auf das CACIB:

Jüngstenklasse (von sechs bis neun Monate beziehungsweise sechs bis zwölf Monate)

Ehrenklasse

Außer Konkurrenz

Für diese drei Klassen ist die Doppelmeldung zu keiner anderen Klasse zugelassen.

Artikel 6. Die verschiedenen Hunderassen sind in vier Kategorien eingeteilt:

Schäferhunde, Schutz- und Wachhunde,

Jagdhunde,

Begleithunde (Gesellschaftshunde, Kleinhunde etc.),

Windhunde

Jedes Land hat der FCI mitzuteilen, in welche Gruppe es seine eigenen Rassen eingetragen haben möchte.

Für Rassen, deren Ursprungsland nicht der FCI angegliedert ist, hat die Standard-Kommission zu bestimmen, in welche Gruppe diese Rassen aufgenommen werden sollen.

I. Schäfer-, Wach- und Schutzhunde
1. Gr. – Schäferhunde
a mit Arbeitsprüfung, b ohne Arbeitsprüfung
2. Gr. – Wach- und Schutzhunde
a mit Arbeitsprüfung, b ohne Arbeitsprüfung
II. Jagdhunde
3. Gr. – Terrier
4. Gr. – Teckel
5. Gr. – Laufhunde für Hochwild (Hirsch, Wildschwein)
6. Gr. – Laufhunde für Niederwild (Hasen, Kaninchen)
7. Gr. – Jagdhunde ohne britische Rassen
a Vorstehhunde, b Schweißhunde, c Stöberhunde
8. Gr. – Jagdhunde britischer Rasse
a Vorstehhunde, b Retriever, Spaniel und Cocker.
III. Begleithunde
9. Gr. – Alle Gesellschaftshunde oder Begleithunde
IV. Windhunde
10. Gr. – Alle Windhundrassen

Artikel 7. Die CACIB-Vorschläge werden von den Richtern gemacht. Die endgültige Verleihung findet erst nach der Bestätigung durch die FCI statt.

Der Richter ist allein berechtigt, über die Vergabe des CACIB zu entscheiden; jedoch kann er im Ring durch einen Sekretär, einen Beisitzer oder einen Ringkommissar unterstützt werden, wenn nötig, auch durch einen Dolmetscher, aber es ist selbstverständlich, daß er seine Entscheidung allein, ohne irgend jemanden zu befragen, treffen wird.

Falls für mehrere Varietäten einer selben Rasse nur ein einziges CACIB zur Verfügung steht oder im Falle von zu zahlreichen, von verschiedenen Richtern gerichteten Rassen, wird derjenige Richter, der mit der Vergabe des CACIB beauftragt wird, schon im voraus von der Ausstellungsleitung (Sonderleitung) bestimmt, und diese Ernennung wird den Ausstellern bekanntgegeben.

Ein dem FCI-Modell entsprechendes Richterbuch (Richterbuch des VDH) ist dem Richter zur Eintragung seiner Urteile zur Verfügung zu stellen.

Artikel 8. Die Richter machen ihre CACIB-Vorschläge entsprechend dem absoluten Verdienst der Hunde, ohne nachprüfen zu müssen, ob diese die Altersbedingungen erfüllen und ob sie in ein anerkanntes Stammbuch eingetragen sind.

Es ist Aufgabe der FCI, sich zu vergewissern, ob die vorgeschlagenen Hunde den vorgeschriebenen Bedingungen zur CACIB-Bestätigung Genüge leisten.

Die Ausstellungsleitungen werden dagegen darauf achten, daß nur solche Hunde zur Teilnahme an ihrer Ausstellung zugelassen werden, die in einem Zuchtbuch eines FCI-Mitgliedslandes oder eines nicht angeschlossenen Landes eingetragen sind, dessen Zuchtbuch jedoch von der FCI anerkannt ist.

Artikel 9. Sobald die Urteile ausgesprochen sind, kann gegen sie kein Einspruch mehr erhoben werden, sie sind endgültig. In jeder Klasse werden nur die vier besten Hunde klassiert, sofern sie die Noten »Vorzüglich« oder »Sehr gut« erhalten haben, zum Beispiel V 1, Sg 2, Sg 3, gut. Die anderen erhalten eine Bewertung, sie werden jedoch nicht klassifiziert. Die den Ausstellern überreichten, einheitlich gedruckten Karten dienen als Beweis dafür, daß der betreffende Hund zur CACIB-Vergabe vorgeschlagen ist. Sie müssen den Vermerk tragen: »Vorbehaltlich der Bestätigung durch die FCI«.

Artikel 10. Von den Ausstellungen sind ausgeschlossen:

Kranke, verkrüppelte, mit Mißbildungen behaftete oder an Hodenatrophie leidende Rüden sowie Hündinnen, die sichtlich trächtig oder während der Säugeperiode sind oder in Begleitung ihrer Welpen sind.

Artikel 11. Mit der Anmeldung seines Hundes zur Ausstellung verpflichtet sich der Aussteller zur Einhaltung der Eröffnungs- und Schließungsstunden der Ausstellung.

Die Ausstellungsleitung kann jedoch für besondere Fälle, über die sie selbst zu befinden hat, Ausnahmegenehmigungen erteilen.

Artikel 12. Alle Reklamationen (jene, die Richterurteile betreffen, ausgenommen, da letztere ohne Berufungsmöglichkeiten ausgesprochen werden) müssen sofort vorgebracht werden und von einer Kaution begleitet sein, die an die Ausstellungsleitung fällt, wenn sie nach Überprüfung sich als unbegründet herausstellt.

...

Artikel 19. Die Richter müssen sich in ihrem Urteil streng an den Standard der zu richtenden Rasse halten, wie er von der FCI veröffentlicht ist; unter keinen Umständen dürfen sie irgendwelche Änderungen berücksichtigen, die von einem anderen Verband als der FCI veröffentlicht worden sein könnten.

...

Artikel 20. Die Ausstellungsleitungen müssen den Katalog und das Verzeichnis der für das CACIB und RCACIB vorgeschlagenen Hunde innerhalb von drei Monaten nach der Ausstellung einsenden.

Der Katalog muß gedruckt sein und alle Hunde aufführen, die an der Ausstellung teilgenommen haben.

Rüden und Hündinnen müssen gesondert eingetragen sein.

Die Aufzählung muß mit Nr. 1 beginnen und fortlaufend ohne Unterbrechung durchgeführt werden.

Verspätete Anmeldungen sind untersagt.

Es ist verboten, die von den angemeldeten Hunden schon früher empfangenen Auszeichnungen im Katalog zu erwähnen, mit Ausnahme des Siegertitels, sofern dieser bestätigt ist.

Artikel 21. Um jeden Irrtum auszuschließen, wird die FCI jedes Jahr ein Verzeichnis derjenigen Personen veröffentlichen, über die eine Strafe – mit Ausdehnung ihrer Wirkung auf alle angeschlossenen Länder – verhängt wurde und die an keiner Ausstellung teilnehmen dürfen.

Anschriften, die man kennen sollte

Für Aussteller, die sich um Terminkalender oder um Meldepapiere im Ausland bemühen wollen, seien die wichtigsten Anschriften genannt:

Fédération Cynologique International
12, rue Leopold II
Thuin/Belgien

Verband für das Deutsche Hundewesen
Mallinckrodtstraße 26
4600 Dortmund 1

Belgien	Union Cynologique Saint-Hubert Avenue de l'Armée, 25 B-1040 Brüssel
CSSR	Federalni Vybor Myslliveckych Svazu Husova 7 CS-11525 Praha
Dänemark	Dansk Kennelklub Parkvej 1 DK-2680 Solrod Strand
Frankreich	Société Centrale Canine pour l'Amélioration des Races de Chiens en France Rue Saint-Denis, 215 F-75083 Paris Cedex 02
Holland	Raad van Beheer op Kynologisch Gebied in Nederland Postbus 5901, 1007 A.X. NL-Amsterdam Z.
Italien	Ente Nazionale della Cinofilia Italiana Viale Premuda 21 I-20 129 Milano

Luxemburg	Union Cynologique Saint-Hubert du Grand-Duché de Luxembourg Rue Huberty 42 L-Luxembourg
Monaco	Société Canine de Monaco Avenue d'Ostende Palais des Congrès MC-Monte Carlo
Österreich	Österreichischer Kynologen-Verband Loidoldgasse 1/9 A-1080 Wien
Polen	Zwiazek Kynologiczny W Polsce Nowy-Swiat 35 PL-Warszawa
Portugal	Clube Portugues de Canicultura Praça D. Joao Da Camarà 4 P-Lissabon 2
Rumänien	Asociata Chinologica Romana Calea Mosilov 128, Sector 3 R-70944 Bucurest
Schweiz	Schweizerische Kynologische Gesellschaft SKG Postfach 2307 CH-3001 Bern 1
Spanien	Real Sociedad Central de Fomento de las Razas Caninas en Espana Los Madrazo, 20 E-Madrid 14
Ungarn	Magyar Ebtenyésztök Orszagos Egyesülete Fadrusz Utca 11 a H-1114 Budapest

Literaturhinweise

Die folgenden Bücher beschäftigen sich mehr oder weniger ausführlich mit dem Thema »Ausstellung«. Vor allem in der englischsprachigen Literatur gibt es über die hier genannten Bücher hinaus einige interessante Veröffentlichungen, die aber teilweise nur schwer zu erhalten sind.

Robert Bandel — Der Hundeaussteller und sein Richter
Buchreihe »Freund Hund« Band 34
Schloß Bleckede/Elbe

Rüdiger Daub/Adele Gentner — Unser Hund wird ausgestellt
Kosmos Hundebibliothek
Stuttgart 1979

Leni Fiedelmeier — Mit dem Hund zur Ausstellung
Lehrmeister-Bücherei Nr.510
Minden

Catherin G. Sutton — Dog Shows and Show Dogs
Edlington 1980

Anna Katherine Nicholas — The Nicholas Guide to Dog Judging
New York 1977

Tom Horner — Take them round, please
North Pomfret 1975

Darüber hinaus gibt es von den Rassehund-Zuchtvereinen jeweils eigene Publikationen, die gelegentlich auch auf Probleme im Zusammenhang mit Ausstellungen eingehen. Wichtig für alle Interessenten im deutschsprachigen Raum sind drei Zeitschriften, die von den jeweiligen kynologischen Dachverbänden in der Bundesrepublik Deutschland (also dem VDH), in Österreich (dem Österreichischen Kynologenverband) und in der Schweiz (von der Schweizerischen Kynologischen Gesellschaft) veröffentlicht werden.

Es sind dies: »Unser Rassehund«, »Unsere Hunde«, »Schweizer Hundesport«.

Bildnachweis

Titelbild:	Alexander Prochazka, 5090 Leverkusen 3
Seiten 19, 23, 26, 29, 53, 54 62, 64, 67, 68, 70, 74, 81, 93	Peter Beyersdorf, 5000 Köln
Seiten 41, 59, 76, 82, 111	Wolfgang Freyer, 5000 Köln 41
Seiten 37, 44, 49, 57	Alexander Prochazka, 5090 Leverkusen 3